LOS MUERTOS DEBEN MORIR

Felipe Valenzuela

LOS MUERTOS DEBEN MORIR

FELIPE VALENZUELA

Diseño de portada: Cristina Gabriela Pérez T.
Ilustración de portada: Arnoldo Ramírez Amaya
Fotografía del autor: Daniel Hernández - Salazar

© Librerías **Artemis Edinter S.A.**
© Felipe Valenzuela

ISBN: 978-99939-935-7-5

Impreso en Guatemala por
Litografías Modernas S.A.
5ta. calle 18-27, zona 8 de Mixco, San Cristóbal II
Tel. 2478-2770

2009

Librerías Artemis Edinter, S.A.
12 calle 10-55, zona 1. PBX: (502) 2419 9191 Fax: (502) 2238 0866
www.artemisedinter.com
Guatemala, C.A.

A mi mamá:

**Por ser la vieja más joven
que he conocido.**

Muchas gracias con asterisco: Jesús Chico, Marco Antonio Flores, Daniel Hernández y Arnoldo Ramírez Amaya.

Gracias, gracias: Dina Posada, Hugo Carrillo, Claudia y Ana Luz, Verónica Vega, Sharon DeDiab, Beatriz Colmenares, Juan Luis Font, Marvin Sánchez, Rafael Echevarría, Cristina Gabriela Pérez, Manuel José Arce, Raúl Carrillo, Ana Magdalena Menéndez, Paco Pérez de Antón, Mario Antonio Sandoval, María Eugenia Muñoz, Jose Rubén Zamora, Mario Roberto Morales, Christa Bollmann, Florentino Fernández, Ariel Montoya, Celso Román, Roberto Amado, Lionel Toriello, Christy Mansilla, Albertina Ibáñez y Angélica Gorodischer.

PRÓLOGO

En el origen: la palabra, que lentamente va significando la realidad; luego, la comunicación oral que desencadena el signo: la escritura; ésta deviene en literatura. A través de diversas y sucesivas generaciones de hombres, las formas y estilos literarios que surgen de su momento histórico, no se cristalizan sino trascienden su momento y repercuten en las generaciones de nuevos escritores que también han escogido enfrentar su instante y expresarlo con palabras. La tradición es parte del largo camino de la literatura; sólo es rota por el terror, que luego se transforma en amargura, en desesperanza y en desarraigo. En Guatemala, el terror que rompió la tradición entre sus viejos escritores y los jóvenes ha abierto una senda que pocos se atreven a transitar. Además, en este país el camino del escritor está impregnado de carencias, de marginalidad, de desprecio social. Así que cuando un nuevo escritor aparece, es que alguien ha decidido una vida ajena que ya no le pertenecerá más sino será propiedad de una colectividad también ajena a su decisión de saltar a la nada. El escritor joven pareciera que salta del vacío al vacío. Lo único que le queda como fuente inmediata es la poca literatura universal que se reproduce a pesar de ella misma, y la realidad inmediata que lo acucia a expresarse y a expresarla.

Felipe Valenzuela da, con este libro de cuentos, *Los muertos deben morir*, su salto en el vacío. Es a la vez, padre e hijo de su expresión, porque lo que en su país lo antecedió recién lo empieza a conocer y a interiorizar. Así que Valenzuela ha tenido que encontrar sus formas y sus temas en su diario quehacer, consolida su palabra en su experiencia de acudir al hecho inmediato y en la asimilación dolorosa de un entorno doloroso. Sus relatos son imágenes inmediatas de la

1

realidad; no se detiene (porque no le es esencial) en la búsqueda de una forma acabada, sino acuciado por la necesidad de retratar (denunciar) quiere desprenderse pronto de sus historias como si éstas le quemaran las manos. La mayoría de sus relatos son como instantáneas de una cámara múltiple que necesita dejar testimoniada la realidad, la mayoría de veces, lacerante. No se regodea en la palabra sino deja la fotografía lo más desnuda posible. Sus historias están atravesadas por un humor descarnado, por una burla cruel.

Casi todos los relatos son desesperanzados y conducen a un final en el que el autor pareciera burlarse de sus personajes impidiéndoles la felicidad. El destino trágico es el hilo por el cual corre esta desesperanza.

Otra vertiente de esta búsqueda es el entorno urbano. Pareciera que la ciudad fuera la caja de resonancia en la que rebotan las palabras de Valenzuela, y que por sus calles se desplazara su imaginación en busca de instantáneas feroces que estallan en el humor más amargo o en la ironía delirante que destruye. Y este espacio citadino de Valenzuela está saturado de violencia y de muerte. El enfrentamiento que terminará en la sangre o en la destrucción de la vida o de los sueños es una constante en su corriente narrativa. La realidad real es trasladada casi literalmente a sus historias; en ellas, la violencia policiaca, la violencia ciega de la sociedad frente a la necesidad, el asesinato impune ordenado por el poder, son parte fundamental del discurso. La violencia llega en este libro, al paroxismo de destruir la memoria colectiva en un incendio en el que crepita la historia.

Pero es la inmersión en las turbulencias de la fantasía la que salva, finalmente, a Valenzuela, de los fantasmas de la realidad desesperanzada. La historia más acabada del volumen, *El agua nunca es igual*, nos conduce a la analogía de la

2

literatura con el río de palabras que escondidas en la conciencia nos llevan de la mano al pasado, en el que la fantasía y la imaginación nos sitúan en un mundo idílico en el que las cloacas se tornan manantial en la urbe universal que transforma a las personas, convirtiéndolas en oráculos de un mundo mejor.

Finalmente, ¿por qué estas instantáneas de la realidad real son literatura? Porque estas historias están organizadas en la imaginación del autor, quien alcanza a convertir los hechos cotidianos en hechos estéticos a los que impregna de ese gesto de amargura, de desesperanza, con las que juzga al mundo. Así que, aunque intentemos imaginar un orden lógico en este universo verbal de Valenzuela, él nos juega siempre una mala pasada y nos deja sumidos en el desconcierto y en la amargura.

Marco Antonio Flores
México, D.F., mayo de 1994

Felipe Valenzuela aclara

Este debió ser mi primer libro y ver la luz, a lo sumo, en 1995. Pero no fue así. Por destinos del azar y caprichos de la suerte, hubo de pasar engavetado durante mucho tiempo. La razón concreta: cuando la oportunidad de rozarse con la imprenta asomó perfil, resultó más extenso de lo tolerable como para encajar en la colección *Ayer y hoy*, de la que terminé siendo el "primerizo" con un recopilatorio de relatos cortos extraídos de mis artículos dominicales. De ahí su título *Antología Demente*, el cual encontramos junto con mi amiga Dina Posada, inspirado en el nombre de mi columna periodística de entonces y de ahora. Del material incluido en dicho libro, algunos cuentos pertenecían a *Los muertos deben morir*. Cuatro, para ser exacto. De hecho, algunos pasaron al archivo como "descartados" y ahora conforman otra colección.

Por ello, es imprescindible apuntar que salvo *Aborto a la romana*, escrito en 1997, y un par más producidos en 1995, todos los ahora publicados corresponden al proyecto original y son un variopinto de lo que en aquel momento me divertía imaginar como aspirante a narrador literario. *El agua nunca es igual*, por ejemplo, data de 1985. Ello implica que el parto se logró en una vieja máquina *Royal*, eléctrica para más señas, que mi inolvidable tío Hugo me heredó en vida y milagros, y en la que me sentía casi en un avión antes de conocer las hoy prehistóricas Macintosh 512.

La mayoría registra como fecha de origen los inicios de los noventa, años en que cada capítulo de la vida me revolvía en sus páginas sin rigideces ni horarios, lo cual facilitaba la bohemia a media semana, sin ojeras implacables al siguiente día. Desde entonces, son mínimas las correcciones hechas a los textos. Una que otra fundamental. En *David, el florentino* me negué, tal como me lo sugirió una mágica e invaluable amiga, a actualizar a euros unos precios en liras y a suprimir una cámara *autofocus* de rollo corriente, por una digital de no sé cuantos pixeles.

El resto de las historias son las mismas. Los personajes, también. Sólo el autor, es decir yo, ha cambiado un tanto y ha tanteado un cambio. Para bien y para mal. Para anciano y para púber. Para loco y para cuerdo. Por suerte, la vocación por vivir y experimentar me acompaña adonde voy y me ayuda a madrugar de lunes a viernes, muy a pesar de mi proverbial naturaleza nocturna. Y a propósito de semejante proeza, recuerdo y transformo palabras geniales de Ian Anderson, músico de todo mi respeto a quien a la fecha considero uno de mis maestros: mientras mantenga en forma mis cinco sentidos, espero nunca asumirme "tan viejo para el rock and roll", y seguir siendo, por lo menos hasta siempre, "demasiado joven para morir".

ABORTO A LA ROMANA

María a secas. Así la bautizaron sus padres en una ceremonia elegante, seguida de un festejo con viandas delicadas y champagne. María a secas, como la Virgen. Como la Madre Dolorosa.

Quince años después, la adolescencia. Falda a cuadros de colegio católico, primeros sangrados de mujer en boceto y un novio casi a escondidas, con quien no pasa de besos inocuos y manita sudada.

Criada en el escenario de la opulencia, María no se ha dejado afectar. Es buena como pocas. Decente como las menos. Bondadosa como ninguna. Su madre ha sido cómplice de sus amores con José, que vive del otro lado de la ciudad. Lo ha hecho a cambio de que se cuide de no caer en las tentaciones de la carne. Su padre, un moralista acérrimo que mide su éxito en un creciente patrimonio, es el proveedor perfecto de todo lo que no sea emotivo.

Esta noche, mientras María duerme, una aparición cambiará su vida de un prodigioso golpe: Gabriel, el arcángel, le anunciará en sueños que en su vientre se ha concebido, por obra y gracia conocidas, la vida del salvador del mundo. Le dirá, en el dulce e inequívoco lenguaje onírico, que es preciso parir a un nuevo Mesías para que desafíe a la raza humana, y en vez de que ésta lo crucifique como a su antecesor, lo vitoree y lo siga en un mundo ya menos sórdido, sin tanta voracidad por la acumulación; sin tanta infamia en nombre del poder, como la de los tiempos que corren.

María despierta y un sobresalto de pavor le atenaza las sienes. Y aquello es nada comparado con lo que dos meses más tarde descubre en medio de la más terrible angustia: su período no llega; los olores ponen de rodillas a su olfato; se ha desmayado más de una vez.

Decide hablarlo con José. Él, mejor que nadie, sabe que lo del embarazo no puede ser posible. Y José le cree, pese a su pubertad sin madurez suficiente. Y ofrece ayudarla, sin poner en duda sus palabras. Y le aconseja decírselo a sus papás. Y María sufre. María a secas. La del bautismo elegante con viandas delicadas y champagne. María a secas.

En este instante, cuando se lo comunica a sus progenitores, ve con terror la actitud de los dos, entre irónica y furiosa. Siente la mirada de decepción de su madre. Pero más la bofetada a medias de su padre, el proveedor.

Sabe, sin embargo, que afuera está José esperándola. Con él quisiera irse cuando oye que «muchachitas perdidas» no tienen cabida en esa honorable casa. Sobre todo en el momento en que su padre le sugiere la idea de sacarse a ese niño, aunque tal desmán atente contra sus principios.

En su habitación, alumbrada por una veladora de Lourdes que le regaló su abuela, empaca un par de trapos. Salta por la ventana y escapa. Pero antes de alcanzar la calle, su padre la descubre y la detiene. José intenta intervenir, mas no logra nada; un energúmeno lo golpea sin misericordia y lo ahuyenta con pestes admonitorias.

Desde aquel momento, María es una prisionera de su seno familiar. No puede salir. Ni estar con nadie. Ni hablar por teléfono. Ni ver a José. En tanto, el vientre le crece; la ilusión, aunque confusa y turbadora, no deja de ser ilusión. Lleva un hijo adentro. Su hijo. El hijo del Ser Supremo.

Es de mañana y sus padres la suben al automóvil en una ceremonia rigurosa que parece de patíbulo. Van rumbo al consultorio del médico. Ni una palabra en el camino; a lo sumo, maldiciones balbuceadas por su padre y sollozos de rabia de su madre.

En la clínica, el examen denigrante causa el asombro del galeno, quien pese a ello prefiere callarse el portento y sacar de la manga una historieta truculenta: la niña es técnicamente virgen y, por tal motivo, su embarazo se sugiere como un error de la naturaleza. En presencia de la joven, el doctor explica tal anomalía como el resultado -posterior al hecho pecador- de una reconstrucción quirúrgica del himen, «muy de moda entre profesionales de baja estatura moral». María se indigna y sólo deja de protestar cuando su madre le da una bofetada.

Silencio a secas.

El doctor acepta la posibilidad de un legrado -trato original con el padre-, mas una intuición incontrolable lo obliga a abstenerse y a declinar la miserable cirugía. «Yo me lavo las manos», dice, justo antes de recomendar a un colega que, según él, «se atreve a todo».

Dirección en mano salen en busca de ese médico, a quien sin ambages han descrito como experto en abortos. Camino al lugar, la futura madre sufre tres desmayos. Tres. Exactamente tres.

En la camilla, lista para volver a ser denigrada, María ve entrar a un fofo galeno de labios anchos. Sus ademanes

9

rimbombantes no disimulan el gusto por lo que ocurrirá a continuación. Antes de entrar en materia, el doctor relata sus andanzas de penitente durante cada Semana Santa, en que se disfraza de romano todo un día para seguir por las calles un cortejo procesional. Revisa a María haciendo alarde de espéculo. Lo hace con desdén y hasta se quita el guante esterilizado para saciar su morbo. Aunque la virginidad de la púber es incuestionable, al verificar los datos de laboratorio, confirma el embarazo a los dos acongojados padres y, con ruda crueldad, niega la inmaculada condición que el examen comprueba. Manda a los progenitores a la sala de espera y ordena preparativos para una operación de emergencia. Antes de salir, ambos besan a su hija y hasta la bendicen con la señal de la cruz. Ella ignora aún lo que viene y confía ingenuamente en que podrá persuadir al carnicero de que su historia es cierta.

Con cara de *sí, claro, cómo no,* el galeno le pide cerrar los ojos y respirar profundo. Tras un pinchazo, María se siente adormitada. Una pesadilla empieza a perturbarla en la sinuosidad de varios laberintos, con la grotesca escenografía de animales descuartizados y un fondo espeluznante de llantos de bebé.

El médico toma su bisturí y rasga. Adiós virginidad. Luego, con unas pinzas de perfil asesino, empieza a extraer al feto en ciernes con alguna complicación inesperada. Es un día soleado, pero, de pronto, las tempestades se adueñan del entorno. Llueve enrarecidamente y un aire de temporal invade el improvisado quirófano con una atmósfera trágica. El doctor, ataviado con su casco de romano, intenta sacar a la criatura.

Por medio de las pinzas percibe un peso particular, no registrado en la bitácora criminal de sus negocios diarios. Y su sorpresa es aterradora, porque en el cuadro que tiene frente a sí toma forma la historia recién oída con desprecio: el feto, todavía agonizante, ve la luz sobre un crucifijo diminuto en el que se lee un INRI luminoso.

La tempestad es ahora un látigo que flagela a la ciudad. El casco romano le aprieta la cabeza al médico y, aunque le dificulta la respiración, no termina de matarlo. Tampoco muere María; ella sobrevivirá para llorarlo.

Pasados unos días, el fervoroso doctor se cambia de bando religioso y reniega por donde puede de la Virgen y de los cortejos procesionales. El padre de María, más moralista que nunca, se vuelve predicador y hace reputación como guía de familias con problemas. María, enloquecida, derrama lágrimas día y noche por la muerte de su hijo. Y en ese alucinado dolor no sabe cómo llamar a semejante oprobio. No sabe. Pero en la conciencia de su padre y del carnicero, el crimen sí encuentra nombre: asesinato, nada más; asesinato a secas.

EL AGUA NUNCA ES IGUAL

> *"...There's someone in my head,*
> *but it's not me..."*
>
> Roger Waters

1

Cada vez que pienso en un río me sucede lo mismo: aún hoy, muchos años después, aquel episodio de la infancia continúa vagando por mi mente como un satélite interno. No me molesta recordarlo. Al contrario: me adorno la nostalgia cuando lo descubro intacto en mi memoria, con esa intermitencia constante y lúcida de los hechos imborrables.

Hasta anoche, evocar la escena de aquella temporada nunca me causó desasosiego. Pero la mágica perturbación con que desperté hoy, sumada al dulce sueño cuyo sabor conservo, me obligan a reconstruir el relato.

Me pregunto si no habré alucinado por las presiones de la oficina. Algunos colegas dicen que son espejismos urbanos. Yo no sé cómo tomarlo. A ratos pienso que es inútil asustarse. La vida dista enormidades de ser lógica y el mundo está plagado de secuencias contradictorias. El *Titanic* se hundió; el náufrago de García Márquez pudo contar el cuento.

Cuando me topé con la primera piedra de esta vivencia acababa de cumplir doce años. Marcado ya por aires preadolescentes, era un niño conflictivo que estudiaba en un colegio donde no la pasaba bien. Durante las vacaciones previas a la secundaria, mis padres me sorprendieron una tarde con que iban a enviarme tres meses a Alemania. Considerando mi edad, perfeccionar un segundo idioma y conocer el Viejo Continente pintaban como excelentes posibilidades, aunque el viaje resultara carísimo. Pero la verdad detrás de ese aparente

13

sacrificio era otra: mis dos heroicos progenitores habían decidido separarse para probar de nuevo la vida de solteros, y así determinar si conmigo lejos podían arreglar sus asuntos sin dañarme con la bifurcación, cuyo trazo experimental no disimulaba su tinte de rompimiento. La salida compensatoria sonaba a coartada perfecta: yo desaparecía del cuadro, y si al regresar la cosa ya no funcionaba, el golpe sería menos duro para mí. Además, al concederme semejante oportunidad a costa de su esfuerzo, tendría que agradecérselos tanto que no iba a poder recriminarles el divorcio. Ahora sé que eso se llama complejo de culpa. Fue, de hecho, una absurda e innecesaria táctica dilatoria: un engaño disfrazado de dádiva.

Admito que de entrada la idea no me entusiasmó. Había hecho planes futbolísticos muy serios con mis compañeros de cuadra, y eso de ir a Europa me sonaba como para viejos. Pero al tomar conciencia de que me ofrecían ir al país de Beckenbauer (mi ídolo de aquellos tiempos junto con los Beatles) y de que existía la remota posibilidad de verlo jugar, comencé a hacer todo lo que estuvo a mi alcance por concretar el viaje. Terminadas las clases, mi pasaje estaba listo y a finales de octubre crucé el Atlántico en un DC-10 de *Lufthansa*, sin sospechar siquiera la magnitud de lo que aquello significaba para mi escasa experiencia.

Una semana después todavía me costaba creerlo: la serenidad abarcaba de los árboles a las ventanas y de los parques a los cafés. La familia que me hospedaba parecía complacida con su visitante, y yo, impresionado por el invierno europeo, no paraba de asombrarme de lo que a diario descubría en cuanto me rodeaba. No había tenido tiempo de despertar. Era como vivir en un ciclo al revés: cuando dormía, parecía sonámbulo inmóvil; al levantarme, mi piel adquiría la textura de un cuento de hadas.

La ciudad se llamaba Bamberg. Mi dirección: Herzog Max Strasse, 33. Me asignaron un cuarto diminuto en el tercer piso. A la derecha, mi cama convergía con una de las dos aguas del techo; a la izquierda, con un armario antiguo.

Para garantizar mi completa seguridad, la agencia de viajes y mis anfitriones habían firmado un convenio en el cual se me prohibía salir solo. Al principio obedecí; sin embargo, pasados unos días, caí en aburrimiento y la intuición me orilló a romper las reglas, sin que nadie pudiera detenerme. En mi escapada inicial sentí un poco de miedo, pero al ir aclimatándome a la libertad de aventurar las calles sin punto cardinal definido, mis venas exigían, cada vez con mayor intensidad, el hormigueo de la duda y los vericuetos de la emoción para mantener mi sangre circulando.

Me embelesaba el suspenso de si podría o no encontrar el camino de regreso. El reto de desafiar al mundo con mis pasos era inigualable. Algo así como romper, de golpe, un cristal interpuesto entre un jardín de misterios y yo.

Recuerdo con nitidez fotográfica la tarde en que comenzó todo. Puedo ver la ropa que llevaba y el tono gris del cielo con la amenaza de lluvia. Mi forma de caminar delataba una inquietud desaforada desde que salí de la casa. Sentía una exigencia interna muy parecida a la obligación de perderme: era una obsesiva e inexplicable necesidad de cruzarme con algo verdaderamente insólito.

Incrustado ese objetivo en el árbol de mi cerebro, mis zapatos abrieron sus fauces y no descansaron hasta tragar varias leguas de camino. Media hora después de atravesar *Schiller Platz*, me detuve en una vitrina: en el vidrio vi reflejado mi rostro de niño, sin parentesco alguno con mis pensamientos. Me llamó la atención un libro de los Beatles que vendían allí, pero por más que toqué la puerta donde se leía el cartelito de "abierto", nadie acudió a atenderme. Lo más fascinante de esa publicación era una calcomanía, pegada sobre la carátula, que decía así: *Incluye fotos exclusivas del asesinato de John Lennon y las letras de su álbum póstumo.* Aquello me pareció una extravagancia muy *beatle*, por lo que me prometí comprarlo antes de regresar a Guatemala. (En aquella tienda descubrí que echaba de menos mis discos: *Revolver, Please Please Me* y, en especial, *Abbey Road.* Me urgía volver a casa para escuchar *Extra Texture* y *Shaved Fish*, que recién había comprado junto con el viejo 45' de *My sweet Lord*.)

Continué mi itinerario al azar: de inmediato me sumergí en un ilusionismo seductor, cuyos imanes invisibles me atraían con una fuerza más allá de mi entendimiento. No tardé mucho en perderme. Aún divisando a lo lejos una de las torres del *Dom*, no tenía la menor idea de dónde estaba. Sin darme cuenta, las redes imperceptibles de un vecindario desconocido y solitario me envolvían entero sin que yo opusiera resistencia. Recorrí la ciudad largo rato, deslumbrado por el caleidoscopio arquitectónico que salía a mi paso: ventanas finamente contorneadas en casas como de chocolate; ángeles góticos empotrados en las esquinas, suministrando un hilo potable por la boca; esculturas de jinetes prusianos que parecían indicarme hacia dónde seguir.

Detalle importante: hasta entonces, todo había sido en silencio. Las voces de las calles las oía sólo dentro de mí. De repente, como si se tratara de una aparición auditiva, percibí el canto apaciguador de las aguas de un río. Parecía un coro de cataratas en miniatura; las armonías se repartían en cánones a profundidad.

No lo pensé dos veces: tenía que llegar hasta allí; un laberinto onírico me atrapaba por pausas. Al doblar la esquina, sentí el arrullo de un espléndido río, vestido con empedrados dispersos en sus alrededores y matizado por un aire solemne que aún hoy percibo con sólo cerrar los ojos. Mis huesos se sintieron nube cuando lo vi. Era una corriente de eternidad que refrescaba las venas urbanas. Ahora que escribo esto, todavía me emociona la imagen casi cristalina de aquel cuadro.

Me fui acercando despacio al borde del río. Allí estuve no sé cuanto tiempo viéndolo correr. Hasta me olvidé del frío que segundos antes se me colaba con profusión por el abrigo.

Cuando pensaba en los años que la piedra más próxima a mis pies podía guardar en su tenacidad cósmica, la quietud fue interrumpida súbitamente por una voz musitada que llegó desde atrás: con rotunda claridad, alguien me llamaba por mi nombre. Me di la vuelta y la sorpresa se duplicó al encontrarme con una viejecilla de mediana estatura, vestida con ropajes de usanza antigua, digna de los hermanos Grimm. Pese a mi asombro, no desprovisto de turbación, di dos pasos hacia ella y la saludé. La anciana me dio la espalda y caminó rumbo a su casa. La seguí. Al llegar a la puerta me invitó a entrar, y yo acepté sin mediar palabra. Justo cuando traspasamos el umbral tuve la sensación de encontrarme en un reducido mundo encantado, abundante en piezas de porcelana, armarios de caoba con espejos biselados y cualquier cantidad de detalles, muy al estilo de mi mamá. El piso despedía en su brillo un impresionante olor a bosque.

Dato para apuntarse: antes de la escena del río, las calles transitadas por mí hasta el instante en que me asumí definitivamente perdido, eran las más pulcras y relucientes que jamás había visto. El pedacito de ensueño habitado por ella tenía la misma tónica: todo parecía en su lugar, con un aire de perfección muy lejano a la rigidez antipática y fría de las casas plagadas de faustos y oropeles. (Recuerdo ahora un pensamiento de Unamuno, quien prefería libros que hablaran como hombres, a hombres que hablaran como libros. Yo, en ese momento, también: era más acogedor aquel óleo viviente con aspecto real, que cualquier mansión pomposa de esas que sudan más el precio de sus antigüedades, que la gracia de un armónico buen gusto.)

Me miraba con una camaradería apartada de lo maternal. En un alemán muy apropiado le dije que su casa me inspiraba confianza. Entonces sonrió y me ofreció algo de comer, pero yo, pese a tener hambre, no acepté. Volvió a sonreírse y, sin acatar mi respuesta, me sirvió una espléndida taza de chocolate y cinco galletas doradas.

Nuestra plática se desarrolló con fluidez. Hablamos de música, de futbol (también admiraba a Beckenbauer) y de los horrores ocurridos en Alemania durante la guerra. Su radiola era una *Greatz*, casualmente idéntica a la de mi casa: la misma madera arropando sus mecanismos internos e igual ruido achacoso cuando se accionaba su tornamesa. A caer iba su aguja sobre un acetato reluciente cargado de Bach a toda cámara, cuando una reliquia de pared me indicó que eran las seis, por medio del cucú de las en punto.

«Tengo que irme», le dije. Ella asintió sin emitir palabra. Tras despedirnos en la puerta le prometí regresar, de lo cual, aclaro, no estaba convencido. Pocos minutos después, guiado por las mismas fuerzas que me llevaron hasta el río, crucé el puente junto a la *Rathaus* y luego de una inesperada revelación de pasos, aparecí de súbito en la calle Herzog Max. En ningún momento sentí temor de no orientarme. Quise contar lo sucedido a los Lörsch, mis anfitriones, pero la intuición me dictó que era mejor callar. Por la hora de mi arribo, me recomendaron no andar tan tarde afuera. Yo, entusiasmado con

18

mi aventura, apenas les presté atención. Desde aquel momento, las calles se volvieron mi reto. Y la magia, también.

2

      Las visitas a la anciana del río fueron cada vez más frecuentes. Siempre que podía iba a verla. Llegué a hacerlo diariamente. Era tal la importancia de oírla, que cuando una tarde mi brújula invisible sufrió un breve lapso de nortes, estuve a punto de gritar en medio de la etérea desolación que rodeaba las calles aledañas a su casa. Pero después de algunas vueltas recuperé la ruta y llegué.

      Las bondades de aquella dulce mujer parecían no tener límite. Tampoco sus vívidos relatos de la Segunda Guerra Mundial. Estar con ella era un pasadizo directo hacia el deslumbramiento. Nunca me percataba del tiempo. Todo transcurría en un parpadeo: eran horas que cabían en minutos, y no a la inversa.

      Sin embargo, aunque mi espíritu respiraba ajeno al reloj, los días sí estaban transcurriendo; la obligada partida aterrizó sobre la pista de mi destino y me sorprendió como a un incauto en medio de una refriega repentina.

      Una mañana, mientras desayunaba, el encargado de la agencia de viajes llamó para avisar que salíamos al día siguiente. El alma se me fue a la garganta y no pude seguir comiendo. Subí a toda prisa a mi habitación y conté los últimos marcos de que disponía. Me bañé en perfume y salí corriendo sin avisarle a nadie. Estuve en varios almacenes de Lange-Strasse buscándole un regalo, pero nada me pareció tan delicado como para compartir espacio con su prolijo mobiliario. Las horas me perseguían implacables. Me sentía acosado por un juez lleno de crueldad, que con su despiadado martillo estaba a punto de asestar el golpe final a una regia aventura.

Como no encontré ningún detalle en las tiendas, decidí hacer mi última visita a aquella casa de quimeras. También pensé en no decirle adiós y sólo desaparecer para siempre, pero al meditarlo descarté la idea.

Rumbo al lugar vi unas flores anaranjadas al pie de un Goethe de mármol; sin mucho dudarlo las corté para ella. Fue alcanzar su calle y reconfortarme con un fugaz asomo de tranquilidad: por un instante olvidé a lo que iba.

Me senté en la misma piedra donde la anciana me había llamado por primera vez y dejé que el río atrapara mis cavilaciones. Adorné las flores con unas gotas de agua y me di fuerzas para lo que venía.

Cuando me volví para dirigirme hacia su casa, no me sorprendió demasiado verla esperándome en la puerta. Traté en vano de esconder las flores, pero en vez de lograrlo, se me fueron cayendo una por una cuando me le acercaba.

Sonreía y susurraba con un dejo de tristeza que no pudo ocultarme. Entramos a paso lento y sin hablar. Sobre la mesa había un pastel blanco, adornado con una delicada repostería de pájaros que volaban al lado de un árbol otoñal. «Es un regalo de despedida», me dijo. No le contesté. El entorno misterioso apenas permitía razonar las cosas. No sé por qué detuve el impulso de abrazarla, pues de verdad quise hacerlo. Hasta aquel momento advertí que nunca antes habíamos tenido contacto físico.

Le pregunté desde cuándo vivía en esa casa, pero no me respondió. Por varios minutos le hice cuantas preguntas se me vinieron a la cabeza, sin lograr sacarla de su silencio. Se había sentado junto a la ventana a ver la caída de la tarde. Yo estaba desconcertado. Le pedí varias veces que dijera algo, pero permaneció impávida. Lo único que conseguí como reacción fueron unas lágrimas que terminaron de tajo con mis argumentos de asedio.

Pero la situación no tardó mucho en normalizarse y la plática retomó los aires de siempre. Con su voz habitual, me contó que tenía treinta años de vivir allí. No conocía a sus vecinos ni recibía visitas de nadie. De eso último no me caben dudas, porque jamás me crucé con gente en aquellos alrededores.

Hablaba y hablaba como tratando de sembrar en mi alma todas las palabras que albergaba dentro de sí. Mis oídos, de par en par, eran campo fértil. No obstante, la preocupación que continuaba formándose en mi interior se acentuó más por su aguacero verbal de esas horas finales: ¿Con quién iba a conversar cuando me fuera? ¿Quién podría ser su interlocutor para temas como la Segunda Guerra y Beckenbauer? Se lo pregunté. Lo hice abruptamente y alterado por el apremio.

«Con mi huésped», respondió sin perturbarse. «Con el mismo de los últimos treinta años».

Insistí en busca de una explicación, pero su respuesta no varió. Ella tenía un huésped, como era yo en casa de los Lörsch, al que nunca me había presentado. Quise saber de quién se trataba. Entonces sonrió con un rasgo de melancolía y me llevó hasta la ventana. Desde allí señaló hacia el río con su mirada. Pasaron un par de minutos sin que lograra captar la idea que intentaba transmitirme. Sus ojos no parpadearon y se mantuvieron fijos en el cuerpo de agua que corría con perpetuidad frente a su casa.

Entonces entendí: su compañero de pláticas estaba dotado de una ponderación superior, con un idioma interminable no apto para las mentiras. El río era lo que era. Desnudo. Con rumbo definido. Sin dobleces.

«Ha sido mi huésped durante todo este tiempo. ¿Te parece extraño? ¿Crees que debería estar aburrida? Se nota que nunca has observado el agua con atención. Es sólo de sentarse en el puente junto al río para descubrir la abundancia de palabras que acompaña a la corriente. Hasta las estrellas de cada noche se asoman siempre con diferente aspecto. No lo olvides nunca: así como cambian los seres humanos, el agua nunca es igual».

No supe qué decirle. Su carisma proyectaba una sabiduría casi poética. Tras la explicación fuimos juntos al río, y ella, a pesar del invierno, tomó con sus manos un poco de agua y la derramó sobre mí en un rito vivaz, como de bautismo, que a la fecha no he terminado de entender.

De regreso compartimos chocolate y pastel al mismo tenor de nuestros encuentros anteriores, charla incluida, y evadimos hasta donde fue posible el ineluctable adiós. Al fondo, más que nunca, se oía la verbosidad del río. Nos callamos un segundo. El cucú no perdonó su puntual arribo y se encargó de recordarnos que la despedida iba a tocar a la puerta, de un momento a otro.

Llegada la hora me puse de pie y sentí en la cara una palidez de aflicción. De nuevo me asaltó el impulso de abrazarla, sin que por fin lograra atreverme. Eché un último vistazo a la radiola *Graetz* y me sentí en la sala de mi casa, cuando el piano de Van Cliburn se abrió brecha entre las bocinas, con el número 1 de Tchaikovski.

22

Al salir de la casa volví a percibir en los ojos de la viejecilla un brillo de llanto que con suma lentitud descendía por sus mejillas.

Empecé a irme; ella me miraba desde la puerta con una amable impasibilidad. A medida que me alejaba, sus palabras acerca del agua tañían en mis adentros como campanas desenfrenadas. Tres pasos antes de la esquina intenté darle un saludo final, pero al volverme ya se había esfumado.

Las calles me veían con una nostalgia cómplice. Cada centímetro de la arquitectura circundante parecía despedirse de mí, mientras yo trataba de guardar cuanta imagen iba dejando atrás. A cada metro recorrido me invadía la sensación de que aquella era la última vez que pasaba por allí. Toqué de nuevo en la tienda donde vendían el libro de los Beatles, y aunque el cartelito de "abierto" seguía en la entrada, no hubo quién saliera a atenderme.

Al otro día regresé a Guatemala: durante la travesía por el Atlántico no pude despegar los ojos de la inmensa e inescrutable sábana del mar. Como tic nervioso repetí, las doce horas del vuelo, una línea de *Strawberry fields forever*: «Nothing is real». Mi vecino de asiento debe haber pensado que yo era un loco.

A mi retorno, la noticia del divorcio de mis padres me aguardaba con su ineludible y prolongado sendero de arenas movedizas. En sus respectivas versiones, se inculpaban mutuamente del fracaso y ninguno de los dos se interesaba gran cosa por oír lo que yo había vivido en el Viejo Mundo. La escena del rompimiento definitivo (un violento intercambio de insultos) se repitió dentro de mí en cada crisis de mis años adolescentes, y aún en la actualidad, casado y con hijos, es una fastidiosa recurrencia durante mis desplomes anímicos.

La enigmática anciana y su río se convirtieron en el símbolo del fin de mi hogar: la calma sin reservas previa a la gran tormenta.

Ahí pudo quedarse esta historia. Nunca sostuve correspondencia con ella, y no fue sino hasta hace poco que mi mente volvió a estremecerse con una serie de casualidades, cuyos fantasmas me la han recordado tal cual era: inverosímil y dotada de una bondad sublime e indescifrable.

Primero, mi esposa me regaló un libro de los Beatles que es exactamente el mismo de la tienda en la que jamás me abrieron. Y ello no tendría nada de extraño, pero, al comparar fechas, descubro que en el tiempo de mi viaje a Alemania, John Lennon estaba vivo: su asesinato en Nueva York ocurrió cinco años después. Segundo, uno de los gerentes de la compañía estudió en Bamberg durante su adolescencia y está seguro de que ese barrio donde supuestamente vivía la viejecilla no pudo haber existido, pues el río sólo atraviesa el centro de la ciudad y algunos suburbios en los que de ninguna manera podría yo haberme perdido viviendo en la Herzog Max Strasse. Y lo más inaudito ocurrió ayer: cuando salí de la oficina, decidí tomarme una cerveza en ese antro bohemio de la once calle donde sirven un *goulash* de película. A escasos metros de la puerta fui víctima de un tragante sin tapadera que esperaba a los transeúntes como zancadilla de gravedad, y caí irremediablemente hasta el fondo de su inmundo desagüe. Acto seguido me vi en un festín de aguas negras, aterrado por la inminente posibilidad de haberme fracturado varios huesos y de dormitar en un inmundo nido de ratas.

Sin embargo, nada de eso sucedió. Cuando abrí los ojos, los dolores de la caída se borraron como redimidos por un ungüento de magia y la cloaca se tornó en un apacible manantial. En vez de ratas, un puñado de mariposas alzó vuelo bajo la lumbre del cenital que una luciérnaga gigante dispensaba aguantando la respiración.

Entonces sucedió lo que hasta hoy no he terminado de creer: la viejita que por años había visto embozada vendiendo flores en los bares aledaños a la plaza, descendió por una alcantarilla y se quitó de la cara la mantilla de siempre. No supe si sentir miedo o alegría: frente a mis ojos estaba la anciana de Alemania, quien levitando frente a mí me dijo de viva voz: «No lo olvides, el agua nunca es igual».

A mi Mamía

EXCEPCION CON LA REGLA

La primera vez le sucedió en el colegio, a la hora de matemáticas. Bruno sintió un profundo dolor en el bajo vientre que casi le sacó las lágrimas, pero en vez de buscar la enfermería, la intuición le dictó que era el baño adonde debía dirigirse con urgencia. A sus trece años, aún le quedaba mucho por aprender del mundo. La incipiente adolescencia sólo le servía para confundirse más.

Su impulso inicial, al llegar al inodoro, fue romper en llanto. También quiso gritar. El hilito de sangre que manchaba su pantalón, muy cerca de la bragueta, era una señal angustiante. ¿Se habría rasgado el pene jugando futbol en el recreo? ¿Tendría los testículos abiertos y llenos de pus? ¿Estaría lesionado por excederse en la práctica recién descubierta, esa que el cura había descrito como un «acto impúdico»?

Añoró súbitamente la ternura de su madre, mientras un abismo gástrico lo abatía con síntomas de náusea; empujado por el instinto, se acarició con la actitud del perro que se lame sus dolores y empezó a desabotonarse el pantalón. Instantes después, con un vértigo de pavor, recordó la implacable advertencia de su padre: «Sólo las mujeres y los maricones lloran; un hombre, jamás».

Se amarró el suéter a la cintura y volvió al aula. Embebido en los laberintos de Baldor, el maestro ni siquiera advirtió la notoria aflicción dibujada en el rostro de su alumno, a quien quince minutos antes había autorizado ir al baño.

Sonó el timbre y todos se alistaron para el fin de jornada. Durante el trayecto en el autobús, Bruno no abrió una sola vez la boca y juntó cuidadosamente sus piernas, como temiendo desangrarse. Cuando llegó a casa, se abstuvo de saludar y corrió hacia su habitación. Era muy extraño: sin haberse herido ni golpeado, una ligera hemorragia le humedecía de rojo la entrepierna. Se lo dijo a su mamá. Dos horas más tarde, después de soportar un rosario de humillantes auscultaciones, la junta de médicos dictaminó el horroroso hallazgo: contra todas las leyes de la naturaleza, el pequeño Bruno -en quien su padre apenas se fijaba- era declarado el primer hombre de la historia al que le bajaba una menstruación.

La madre se desmayó con la noticia. La abuela sufrió un ataque nervioso y varios familiares renegaron del parentesco con el muchacho. Por los pasillos del hospital, el estupor se confundía con el desconsuelo, pero también abundaba la avidez morbosa: sin qué ni para qué, las enfermeras entraban y salían del cuarto; sólo así podían relatar la espeluznante escena a las compañeras que no habían logrado verla.

Llegada la noche, el padre de Bruno se enteró. Su reacción, temida por todos, fue una extraña mezcla entre ironía y desprecio: lanzó una estruendosa carcajada, escupió tres veces al suelo y enseguida se marchó a una cantina.

El muchacho no entendía bien el diagnóstico. Le resultaba incomprensible sangrar cada mes durante tres días y someterse a la extraña rutina de adherirse toallas desechables para no mancharse la ropa.

La noticia se difundió rápidamente, pese a la promesa de los médicos de guardar el secreto profesional. No había oficina, café o reunión donde no se comentara del púber fenómeno.

Avergonzado de tener un hijo con características de hembra, el padre de Bruno vociferaba en sus borracheras que tal engendro no podía provenir de una semilla suya, y hasta habló de retirarle su apellido en el registro civil.

El joven menstruante se deprimió hasta el tuétano y no descartó suicidarse cuando, a los veintiocho días, la desesperación volvió a rebalsarle las fuerzas. A pesar de recibir cuidados maternales extraordinarios, resintió más que nunca la distancia con su padre: ahora se veía doblemente traicionado por el destino. A medida que la fecha de su período se aproximaba, sus ensimismamientos se parecían cada vez más a la locura. La sangre mensual era la llaga de su desaliento; la semana exacta en que su padre desaparecía del mapa y en la que su madre se veía más acongojada de lo normal.

Pero todo cambió a partir de la noche en que apareció el cirquero. Bruno lo vio desde su cuarto, sin imaginar el trato que su papá hacía con aquel siniestro ser de indumentaria extraña. El prolongado apretón de manos y la risa cómplice de ambos no presagiaron nada alentador; como nunca antes, su madre mostró una inconformidad que fue más allá de la leve protesta.

Repentinamente, el padre del muchacho empezó a ser cariñoso con él. Le compraba sus chocolates favoritos y le dedicaba palabras estimulantes. Se ocupaba de alimentarlo con disciplina obsesiva y hasta le regalaba revistas pornográficas. El precio de tantas amabilidades se evidenció en su menstruación del mes: ataviado con un estrafalario traje andrógino, Bruno fue exhibido ante decenas de curiosos, que pagaban sumas entre cuarenta y cien dólares por comprobar la insólita e inexplicable anomalía ocurrida en sus genitales.

El negocio resultó más rentable de lo esperado. Hubo días de formidables ganancias. La variedad se presentó en los cuatro costados del planeta, con un éxito sin precedentes. El mercado medieval de los fenómenos de feria, en temporal desuso por la voraz tendencia hacia la tecnología de punta, cobró instantáneo vigor.

Bruno rompió con las reglas. En Estados Unidos fue portada de todas las grandes publicaciones e historia central de cuanto programa televisivo había en la franja sensacionalista. Europa lo consideró "el monstruo más notable desde el Hombre Elefante" y Latinoamérica lo declaró "hijo predilecto del realismo mágico", encarnación corregida de las calenturientas y muy apetecidas intuiciones *macondianas*, con alguna dosis del *luzbeldepiedralumbre*. Asía y África le dedicaron meditaciones y rituales, así como las primeras planas de todos sus diarios. No hubo gran ciudad donde no se volviera la atracción más buscada por las masas. Era tal el interés, que los tres días de gira programados en cada plaza no alcanzaban para cubrir la insaciable demanda.

Por semejante éxito, el cirquero y el padre desenvainaron la ambición con su espada sórdida, en un delirio cada vez más ruin. De paso por Madagascar, contrataron a un brujo que decía poseer fórmulas mágicas para curar taras sexuales. Al oír su pretensión, el hechicero preparó un brebaje de hierbas, según él capaz de alargar a seis días el período de Bruno, y lo cobró a precio de oro. Padre y cirquero pagaron sin regatear, a la espera de incrementar sus ya de por sí cuantiosos ingresos. Y aunque exhibirse en condiciones tan degradantes sumían a Bruno en decaimientos frecuentes, algo de aquella celebridad grotesca había empezado a gustarle: los cuidados paternos. La preocupación constante para que se alimentara correctamente. Los excesivos mimos cuando estornudaba o tosía. La dedicación para buscarle las mejores habitaciones en cada hotel.

Pero la obsesión de explotar al muchacho llevó a sus "representantes" a cometer una serie de imprudencias y desaguisados. Del brujo de Madagascar pasaron a un chamán de Santa Cruz, Bolivia. Pócima tras pócima, la expectación crecía; el período menstrual alcanzó promedios hasta de ocho días.

Después, borrachos de riqueza, intentaron prolongar el espectáculo a lapsos cada vez más descabellados. Así, buscaron a un alquimista finlandés que estudiaba el genoma humano y hasta confiaron en los despiadados tratamientos de un charlatán canadiense de la ciencia *light*. Sin embargo, solamente obtuvieron magros resultados.

Para mala fortuna de "la empresa", los excesos experimentados en Bruno terminaron causándole un efecto inverso: una mañana, cuando según calendario tocaba la hemorragia del mes, el joven amaneció sin cólico y con la entrepierna seca. En las primeras horas, ni el cirquero ni el padre se alarmaron demasiado. Lo vieron como normal dentro de la inmensa anormalidad del cuadro. ¿Quién no tiene un atraso? Así se mitigaban la angustia mientras pedían el desayuno. Además, no podía ser que la suerte les jugara una mala broma precisamente ahora, pues Nueva York había organizado una feria mundial de fenómenos en honor de Bruno, en la que se esperaba a un millón de visitantes para los días que iba a durar el sangrante prodigio.

Por la noche, padre y cirquero se debatían entre el desconsuelo y la ira, y le inyectaban al niño cuanto regulador amenorréico tenían a mano. Hasta a un curandero del Bronx llevaron para que lo examinara, esperanzados en que la magia negra pudiera sanar a su "estrella" de aquel inoportuno ataque de normalidad.

No hubo tales: el flujo menstrual jamás llegó; el jugoso negocio se les había desplomado de un día para otro.

Ya borrachos, padre y cirquero empezaron a inculparse mutuamente de su bancarrota. La prensa los acusó de estafadores y no faltaron las demandas en su contra por incumplimiento de contratos. El gremio científico, pese a maravillarse por la cura milagrosa, no tardó demasiado en desviar su atención hacia otros fenómenos. El cirquero se esfumó con los dividendos del último período, y el padre de Bruno comenzó a desahogar su rabia, no sólo con los desprecios de antes, sino con torturas psicológicas que más de una vez terminaron en golpiza.

Volvieron a casa. La inadaptación de Bruno hacia lo convencional hizo de él, en términos generacionales, una solitaria presa de su nueva condición. Su hogar lo desesperaba por la violencia pertinaz que dominaba el ambiente. No lograba reponerse de la apatía paterna, aun contando de nuevo con la dulzura de su madre, quien no reparó en volcarse de lleno hacia él: le daba todo lo que pedía y no lo dejaba ni a sol ni a sombra.

Aquella noche, hasta pensó contarle la verdad para consolarlo. Pero algo la detuvo y prefirió callar. De haberse atrevido, tal vez hubiera podido cambiar la historia. Fue un grito seco el que se oyó; los gemidos posteriores sólo se opacaron con la estridencia de las sirenas que ulularon a los pocos minutos de la tragedia.

Furioso por la indiferencia de su padre, Bruno se había castrado con las tijeras de cortar grama. Bañado en sangre fue a buscarlo para darle una lección. Y lo hizo de manera simbólica: la entrepierna herida sugería el regreso de sus períodos menstruales, aunque fuera por ese corto momento.

Los diarios volvieron a hacer de Bruno su festín, y hubo quienes afirmaron que detrás del caso había una maldición familiar, o bien un escabroso incesto. El muchacho murió al otro día de una infección fulminante. Su madre, a punto de demencia, se culpaba a gritos de no haberle dicho a su hijo la verdad a tiempo. El secreto había sido guardado por ella con un celo sepulcral: aquel hombre de quien Bruno demandaba atención, no era su verdadero padre.

PAÑUELO

Me lo encontraba ocasionalmente en el Intermezzo, justo al lado de la ventana y con su clásico café sin azúcar. Yo vivía en un hotel de cuarta categoría, entre Telegraph y Bancroft, habitado por drogadictos y vagos, cuya facha se había detenido en los días del "flower power" y que mantenían un aire psicodélico digno de fotografiarse.

El eje de aquella ciudad era un campus cosmopolita y contestatario, donde los aires académicos rozaban siempre un desenfado demencial que convidaba a la bohemia. El personaje en que se centra esta historia es prueba fehaciente de ello. No creo que sus vivencias de guión cinematográfico hubieran hallado escenario más propicio para entregarse al destino. En medio de una agitada y colorida vida intelectual, Berkeley nos albergaba junto al resto de latinoamericanos que deambulaba a diario por sus calles, a diferentes ritmos y circunstancias. La primera vez que hablamos, una tarde de junio de sofocante calor, se presentó como "El Pañuelo", y aclaró con rauda voz que pese al atrevimiento de su madre de bautizarlo como Sigfrido, sólo le contestaba a quienes se comunicaban con él por medio de su sobrenombre. Yo no le hice mayor lío y lo llamé como pidió. Decirle Pañuelo o Sigfrido me era indiferente, dada la esporádica relación que sosteníamos. De hecho, nunca hablamos por más de media hora, y fueron las escasas ocasiones en que me lo encontré las que me lo grabaron como un verdadero prodigio de la seducción, y al final me hicieron sentir amigo suyo.

El Pañuelo no dejaba santo parado. O, para ser exacto, santa. A juzgar por su reputación entre los asiduos del Intermezzo, tenía una interminable lista de "víctimas" en la que figuraban desde rubias despampanantes como de *Vanity Fair*, hasta menudas mujeres orientales, de esas que van a la cama de manera ritual y embrujan a los hombres a pura receta antigua.

A mí me caía en gracia su figura enclenque y alargada, no digamos su sempiterno traje blanco de dos piezas, intemporal en cuanto a moda y por lo regular limpio, a pesar de su permanente vida disipada. Usaba el pelo rizado hasta los hombros, con un corte definido e invariable que lo situaba como un Gino Vanelli de facciones muiscas. Era simpático sin llegar a gracioso. No dominaba los temas con pericia de docto, pero se defendía con argumentos lúcidos como extraídos de otra dimensión. Colindaba sin aprietos entre lo enigmático y lo superficial: un guasón agreste de naipes gitanos.

Lo anterior lo deduzco de cuanto decían de él, pues, como ya apunté, jamás coincidimos tan estrechamente como para contarnos las vidas. Sin embargo, era innegable: había algo en sus esencias particulares que obligaba a los demás a citarlo con frecuencia, o a sostener interminables charlas centradas en sus increíbles faenas conquistadoras. Nunca oí de él un relato baladí o desprovisto de episodios intensos. Sus logros amorosos iban acompañados de aventuras dignas de un film de suspenso, y en su entorno jamás faltaba alguna dosis de misterio, a veces aderezado por quienes pretendían reconstruir su historia en las pláticas nocturnas de los bares y los cafés. No se le conocía domicilio fijo ni nacionalidad definida. Tampoco sabíamos si alguna familia lo reclamaba en algún rincón del continente, o si era un íngrimo de vocación. Algunos elucubraban acerca de su procedencia y la describían como una región de tres ríos entrecruzados, cada uno de color distinto, cuya confluencia de aguas medicinales podía curar los peores males de la era tecnológica. Otros aseguraban que había nacido en la costa atlántica garífuna, en un pueblo dotado con un cielo donde ocurría un milagro casi bíblico muy similar al del maná, pues una vez al año llovía peces de las alturas, que llenaban canastas y canastas para provecho de los famélicos pobladores de aquel paraje. No faltó quien afirmara que era hijo de unos alocados nómadas de California, que por sus desvaríos de juventud habían abandonado al pequeño Sigfrido en un cesto lleno de hongos alucinógenos, después de una ceremonia de inciensos y pipas en la que el mismo Jack Kerouac había leído fragmentos de una de sus obras.

Yo no prestaba mayor atención a tales versiones, pero siempre alertaba mis antenas cuando el Pañuelo se volvía nuestro tema de charla. A todos nos impresionaba su magnetismo inexplicable. Era como un personaje de novela al que, en secreto, ansiábamos imitar.

Recuerdo nítidamente la primera vez que me lo encontré. Fue en un parque de esos que no se visitan a diario, célebre por un Mustang pintarrajeado a la manera del "Summer of Love" del 67, que a petición de los vecinos no había sido recogido por las autoridades, y cuya intacta permanencia debajo de un sauce era como un monumento a los tiempos dorados del *hippismo*. El Pañuelo estaba en una banca junto a una espléndida pelirroja de cintura breve. Ella le lloraba con desconsuelo sobre el hombro, sin disimular un ápice su encantamiento hacia él. Yo iba camino al estanquillo donde los jueves vendían plátanos frescos y frijoles enlatados, y me resultaba de verdad imposible no pasarles enfrente. Quise hacerme el distraído, pero me reconoció; con una expresión estentórea y vivaz, su saludo efusivo me detuvo. «¡Hola muchacho! ¿Cómo te va? Mira qué agradable casualidad cruzarme contigo en este territorio de *peace and love*».

- ¿Qué hay Pañuelo?
- Aquí cumpliendo mi deber.
- ¿Cumpliendo tu deber?

- No se te olvide, por favor: yo soy un pañuelo, eh. Secar llantos es parte de mi oficio. Si no, para qué diablos llevar este nombre, ¿no te parece?
- Ya quisiera yo tareas como esa, pañuelito.
- Ya las tendrás, amigo mío. Sólo date tu tiempo.

¿Darme mi tiempo? Pero si casi tenía veinte años, y mis habilidades para seducir seguían tan limitadas y tan tímidas. ¿Cuándo iba a aprender? Recuerdo lo que me decían antes de viajar a Berkeley: «Basta con que te parés en una esquina y descubran que sos latinoamericano para que te abunden las gringas». Es lo malo de creerse las fantasías animadas de ayer y hoy de machos frustrados, que hacen alarde de todo lo que nunca llegan a concretar. Cuánto daño me causaban a mí las osadas y apasionantes aventuras de quienes me aseguraron, en delirios de ficción, que llevarse a la cama a las mujeres en Estados Unidos era cuestión de un parpadeo. Me despertaba preguntándome por qué otros, menos agraciados que yo, podían ser supuestos galanes de tantas chicas, y ninguna de ellas me volteaba a ver a mí.

Aquella noche fui al Intermezzo y relaté la escena a los amigos. Cada uno por su lado tenía una historia similar. A quien no había dicho una cosa, había dicho otra. Siempre, como por arte de lengua, Sigfrido podía relacionar sus acciones con los pañuelos y hacer verosímil su metaforización. Era el juego de su vida: el clásico hombre a quien el futuro no le preocupaba, y que disfrutaba el presente como si se tratara de su último día.

Una semana después, en la estación del metro de *University Avenue*, lo vi besando a una uva morena de cuerpo dibujado y unos ojos claros que me hicieron recordar, tanto los de Natassia Kinski en *Cat people*, como los de Bárbara Bach

38

en La *espía que me amó*. Traté de eludirlo para no interrumpir su apasionada escena, pero un estruendoso estornudo de la bellísima mujer adherida a su cuerpo lo hizo levantar la vista, y no hubo manera de escaparme. Al verme, el Pañuelo me habló en su inconfundible tono festivo. «Hola mi hermano, ¿cómo lo trata este Berkeley de *no nukes*?», afirmó con el fondo catarriento de otro estornudo de su pareja de turno.

- Más o menos, pañuelito. Y a vos, ¿cómo te ha ido?
- Aquí, como siempre, cumpliendo con lo que me toca. Pero ahora no son lágrimas, compañero; son mocos.

Tal despliegue de ingenio me ofuscó; la confianza en sí mismo que Sigfrido desbordaba era casi un agravio frente a mis complejos de seductor fracasado. Algo de envidia había; o tal vez mucha. Él conseguía las dádivas amatorias de las mujeres más fascinantes sin siquiera hablar inglés, mientras yo seguía tan solo como había llegado, pese a mi dominio parcial del idioma.

Por la tarde me reuní con un compatriota en la cafetería de *moonies* donde servían unos soberbios helados y le conté lo sucedido. «A mí me ha pasado lo mismo con él», me respondió con serenidad. «Sigfrido es un irremediable con las chicas. Qué suerte la del maldito. Y ni guapo es. Pero su gracia oculta ha de tener. Y ha de saber usarla: sólo así me explico su arrastre. ¿O será que las gringas están locas de tanta droga, vos?»

Dos noches más tarde, en el *Larry Blakes*, bar subterráneo de la calle Telegraph, un veterano de Vietnam llamado Juan Crisóstomo empezó insistentemente a buscar pleito con Sigfrido, a quien envidiaba por su ya célebre éxito entre las damas. El origen de aquel sentimiento malsano era un problema personal que, además de hacerlo desgraciado, le garantizaba una jugosa pensión vitalicia de parte del Gobierno:

el *marine* en retiro sufría una impotencia irreversible, causada por el estallido de una mina durante un cruento combate contra un regimiento del Vietcong, a finales de 1970. Aquella vez pensé que iban a vapulearlo sin piedad. Juan Crisóstomo era un monstruo de casi dos metros, con unos músculos enormes que parecían papayas y una cara de pocos amigos muy similar a la de los matones a sueldo de mi país.

Pero, oh sorpresa, sucedió todo lo contrario. Provisto de una calma casi metafísica, el Pañuelo se las ingenió para aquietar las aguas en la mesa y evitó la furia del ex combatiente, valiéndose de una mentira piadosa y sagaz, que de paso lo salvó de una golpiza segura: muy vivo, le hizo creer que los dones extraordinarios de seducción atribuidos a él por la gente, no tenían referencia alguna con la realidad, pues lejos de lo que se murmuraba, su tremenda aceptación con el sexo opuesto obedecía a una afrodisíaca lástima causada por su falta absoluta de capacidades viriles. Ello, según le dijo al furibundo y envidioso pensionado de guerra, como consecuencia de un percance ocurrido en sus partes nobles, cuando en los lejanos tiempos de la adolescencia había sufrido una descarga eléctrica por un descuido de sus padres.

Consolado ante la desdicha supuestamente análoga de Sigfrido, Juan Crisóstomo lo invitó a una botella de *Chablis* y hasta se animó de pensar que él también podía aprender el truco de la compasión, y así agenciarse alguna de las muchas mujeres que se veían circulando por las calles de Berkeley a cualquier hora.

Cuando me percaté de que todo estaba bajo control, acerqué mi silla a la del Pañuelo y le pregunté cuál iba a ser su interpretación filosófica de ese conato de bronca. Él, con una sonrisa pícara, me respondió: «El símbolo inequívoco de la rendición es una bandera blanca. Yo la saqué antes de combatir. Lo hice con un pañuelo. Y no me arrepiento, hermano: ese animal me hubiera destrozado los huesos, ¿no te parece?»

Más allá de parecerme una respuesta ingeniosa, aquella me rayó en lo rabiosamente genial. Como lo había hecho siempre, Sigfrido construyó en un instante el vínculo poético entre su vida y los pañuelos. En unas pocas palabras, dichas con una pimienta muy propia, había demostrado su agilísima inventiva. «Todo es imaginación, hermano», me decía. «Sobre todo con las mujeres».

Pasé varios días impresionado por su destreza para manejar el incidente con Juan Crisóstomo. La magistral manera como movió los hilos del destino fue tema de muchas de mis vigilias durante semanas. No hubo trayecto de autobús o de metro en cuya ventana no intentara descifrar la misteriosa personalidad de ese flaco audaz del que desconocía hasta los orígenes.

Sólo la mañana de la tragedia abandoné por un momento la obsesión, al iniciar mi caminata cotidiana en busca del irremplazable yogurt de cada principio de jornada. Aquel día, algo me distrajo inexplicablemente. Cuando percibí los gritos de la muchedumbre, provenientes de la esquina entre Durant y College, lejos de asustarme me invadió una tranquilidad muy similar a la que sobreviene cuando se está bajo el efecto de algún sedante. Era, de hecho, una serenidad inusual que aún ahora me sería harto complicado explicar con palabras.

No alcancé a oír el disparo. Al llegar al sitio donde se empezaba a aglomerar la gente, por un instante me sentí en Guatemala. Balear a las personas en plena calle es común allá. Demasiado común. Común hasta el oprobio. Fue ver los zapatos blancos de Sigfrido con un perfil inerte para que el corazón se me volviera un tambor de jubileo. Me acerqué al hombre tendido y vi cómo una anciana de ojos severos, vestida de estricto negro, le cubría el rostro con el pañuelo que mi amigo llevaba siempre en la bolsa izquierda de su saco. El desasosiego de aquella cuadra confundía al más temerario. Las alarmas de la librería contigua se encendieron automáticamente e hicieron armonía histérica con las patrullas.

Yo me acerqué al muerto y comprobé que se trataba de él cuando levanté el pañuelo de su cara. Recuerdo mi asombró por su expresión de completa felicidad. Hasta le fecha, es el único cadáver con rasgos satisfechos que he visto. Y no me arrepiento de mi espontánea reacción, en aquellos cinco segundos en que el policía encargado de cuidar el cadáver se distrajo: consciente de su avasalladora popularidad entre la población femenina del lugar, le quité de golpe aquel improvisado velo extendido sobre su rostro, y me lo guardé en el pantalón.

No había terminado de hacerlo cuando el estupor se transformó en lamento terrorífico. Casi cuanta dama pasó por el funesto sitio, sollozó con profunda congoja. De los edificios salían mujeres y más mujeres, uniformadas en un coro de gemidos, a ratos muy parecidos a un antiorgasmo. De automóviles y autobuses bajaron innumerables "viudas", y diez minutos después se suspendieron las clases en el campus. No hubo café, kiosko o almacén donde no se comentara el asesinato de Sigfrido. Por primera vez, aquellas calles vivieron un acontecimiento fúnebre, tipo viernes santo de mi ciudad natal, con las ventanas en riguroso luto y el bullicio reducido a murmullos.

Días más tarde, cuando la gente apenas se reponía del trauma, el móvil del asesinato fue revelado por la prensa: un marido celoso, a quien Pañuelo había robado el amor de tres esposas, era el responsable de su muerte. El crimen había sido perpetrado con un arma de bajo calibre, pero suficientemente efectiva como para cumplir sus propósitos. El asesino se había dado a la fuga y la policía lo buscaba por todas partes. Berkeley nunca volvió a ser la misma. Durante el apoteósico funeral de Sigfrido, en el que se interrumpió el tráfico una mañana entera para permitir a sus amantes despedirse de él -y acariciar por última vez sus partes privilegiadas-, se supo de una catastrófica enfermedad descubierta en un laboratorio de Nueva York, transmitida sólo por la vía sexual y capaz de destruir el sistema inmunológico de las personas. A corto plazo, decían, no había cura posible. No faltó quien dijera que el Pañuelo, contagiado del mal, había decidido ponerse como blanco de un cornudo violento, y así terminar sus días de manera legendaria. Más adelante, la epidemia hizo estragos entre las parejas de todo el planeta; la cama, en vez de liberación y placer, se veía ahora como un riesgo perenne. La era del "haz el amor y no la guerra" había llegado a su fin: tener veinte años ya no era tan divertido como antes.

Nuestras reuniones en el Intermezzo se hicieron menos frecuentes, y de los inmigrantes que rondábamos a diario las ruidosas aceras de Telegraph y Durant, fuimos quedando cada vez menos. Todos nos desperdigamos poco a poco por el mundo, como semillas desguarnecidas bajo un huracán en cámara lenta. Hubo, sin embargo, un par de ocasiones en que la mayoría del grupo coincidió en el Intermezzo para un café.

No olvido la tarde en que al evocar la figura del Pañuelo, cada quien relató alguna historia suya. A unos se les presentó como torniquete. A otros como toalla improvisada para secar sudores. A muchos en forma de adorno y no faltaron quienes recordaran sus andanzas como elemento de prestidigitador. Yo, abrumado por los relatos, me reservé mis experiencias y no les hablé de sus versiones de mitigador de lágrimas, de limpiamocos, ni de rendido victorioso. Sólo me decidí a contarles, con un dejo de orgullosa tristeza, el capítulo final de la mañana en que estuve a punto de presenciar su asesinato: como ya apunté, fui yo quien le quitó el pañuelo de la cara. Fui yo quien le descubrió las facciones contentas y relajadas de hombre que había vivido en su ley, y que en esa ley había muerto.

Nunca podré borrar de mi memoria aquel día, pues al regresar a mi apartamento y sentir un bulto en la bolsa izquierda del pantalón, lo extraje lentamente con mis dedos temblorosos, sin imaginar el prodigio con que iba a encontrarme. Parecía un milagro. Es más: lo era. Por ello, lo enmarqué detrás de un fino vidrio, y hoy, diez años después, lo conservó en la mejor pared de mi casa. Y la razón es esta: aquel pañuelo que le quité de la cara a Sigfrido a los escasos minutos de ser ultimado a balazos, tenía impreso su rostro con asombrosa nitidez. Un rostro apacible y pleno. Un rostro de pícara bondad, con esas sales únicas de quienes encuentran el sabor de respirar sin los pesados atenuantes del horario fijo. El rostro del cadáver más feliz que jamás haya visto en mi vida.

A Rodrigo Barrios

HACE TIEMPO, TIEMPO DESPUÉS

¿Por qué habré entrado allí? ¿Por qué no sencillamente seguí de largo? Tal vez fue una curiosidad nostálgica o sólo la búsqueda de añoranzas sin objetivo preciso. No lo sé. Hacía veintitantos años que no iba a ese sitio, pero al pasar enfrente no pude soportar la tentación. Era la clínica de mi antigua dentista; la cámara de torturas donde de niño temblaba cada vez que me tocaba ir.

Me acerqué al vestíbulo con sigilo de intruso. Al empujar la puerta, mi memoria desenfundó una alerta al oír la misma campanita de antes anunciando mi arribo. Casi a punta de pie di tres pasos en aquella sala de espera, y repentinamente sentí que había retrocedido en el tiempo. Como si estuviera dos decenios atrás.

Decidí sentarme. Al dejar caer mi peso sobre la silla comprobé con sorpresa que el mobiliario era el mismo; los recuerdos instantáneos, casi esfumados de mis archivos mentales, se multiplicaron en un intenso desfile de imágenes. Los vidrios opacos del ventanal; los tres cuadritos de París en las paredes laterales; las revistas *Visión* y una que otra *Vanidades*. Todo seguía en su lugar; hasta el olor a *Pinesol* era idéntico al de entonces. La ausencia de recepcionista no me extrañó, porque rara vez la encontraba cuando de infante asistía a recibir mis interminables tratamientos dentales. La soledad en ese recinto de glacial asepsia me resultaba conocida. Tuve un sobresalto en el pecho al oír que una de las puertas se abría, con voces al fondo. Sentí miedo de ser yo el siguiente, como me sucedía en aquellos tiempos. Ese detestable pavor infundido por el taladro y su ronroneo despiadado. Ese rechazo a la fría sensación del soplete de aire destemplándome las encías. Esa inútil jeringa que sólo anestesiaba los sorbos de saliva segregados contra mi voluntad.

Un niño salió de la clínica; venía verde y un tanto *groggy*. Identificarme con su cara de adolorida aflicción fue inevitable. Me sorprendió que la dentista, según yo una vieja para estos días, tuviera un aspecto tan conservado: nadie le hubiera podido calcular más de cuarenta.

Doctora y paciente se despidieron sin advertir mi presencia. La puerta volvió a cerrarse. El niño pasó despacio junto a mí como dejándose ver. Pero al fijar mis ojos en su rostro experimenté un desplome en el estómago: el niño era yo a esa edad. Yo, a los nueve o diez años. Yo, de uno cincuenta de estatura. Yo, con el uniforme del colegio, la camisa de fuera y aquel reloj digital que hoy me parece de aberrante mal gusto. El mismo de 1974. El mismo, mismo. (Transcurrieron algunos segundos antes de que pudiera reaccionar; recordé una línea de un poema por el que me felicitó una maestra en mis días de primaria, el cual titulé *Quiero volver a ser niño*. El horror de la coincidencia me ofuscó los nervios; mi adrenalina alteró sus coordenadas en un vertiginoso zigzag vertical.)

Aturdido y aún intentando descifrar el tétrico desafío planteado contra cualquier clase de lógica, me levanté del sillón y dispuse seguirme, o más bien seguir a ese pequeño que era yo hace una veintena de años. Se me atravesó la idea de pellizcarme las manos para comprobar cuán real era lo que estaba viviendo. Era como si una escena de los filmes de terror, a lo Boris Karloff, se hubiera insertado en mi destino, o viceversa. Pero no había alternativa: tenía que ir tras él. Salí de la clínica y el sol de la tarde me golpeó la mirada con un resplandor inaudito. Un instante de luminosa ceguera antecedió el siguiente episodio. El color de la realidad era distinto; una especie de otra dimensión atrofiada por elementos inexplicables.

En la esquina más próxima lo vi cruzar hacia la derecha. Yo no sabía qué hacer. Perseguirlo era imperativo, pero no estaba seguro de si debía hablarle o no.

Bajando la siguiente calle me di cuenta de algo insólito: había menos tráfico y los derrengados edificios que hoy inundan el Centro Histórico no se veían por ninguna parte. Era como un entorno añejo de reluciente actualidad. A cada paso del niño me reafirmaba más que se trataba de mí. Su andar despreocupado, la visita a *Biener* y la ruta tan certera me fueron convenciendo del espeluznante portento: estábamos en 1974.

Pensé que atemorizarme no iba a arreglar nada. De hecho, aunque desde mis años en Washington no incursionaba en los alucinógenos, aquel viaje hacia el más atrás era una fascinante correría. Ni con los ácidos de *Dupont Circle* o los hongos de San José Pinula se podía aspirar a semejante *trip*.

Con esa insulsa pero irrevocable conclusión decidí continuar. En la esquina de la vieja casa de mis padres percibí un momentáneo alivio al extasiarme con la cuadra limpia y las construcciones coloniales intactas, a diferencia de mi hoy recién perdido 1994. Ni un solo autobús atravesaba el tranquilo callejón; no había borrachos ni prostitutas en los alrededores como en el año del cual yo provenía.

El niño tocó a la puerta. Lo hizo con el aldabón de bronce, porque no había timbre como veinte años después, es decir, ahora, es decir, antes. La confusión entre época y época no me dejaba en paz. Sin embargo, un detalle en la pared me distrajo de manera poderosa; la placa de mi padre cerca de la ventana se leía nítida: Juan Ricardo Azurdia Rosales, abogado y notario. Los minutos que pasé frente a aquella fachada de cornisas y balcones, viéndome de infante y respirando un aire de novedosa retrospectiva, me exacerbaron la paciencia. Para mi tranquilidad, una mujer abrió el portón justo antes de que el niño insistiera con los aldabonazos: era mi madre en la fase de su vida en que las arrugas apenas se le asomaban y sin una sola cana en el pelo; su traje *beige* de dos piezas y su collar de perlas me resultaron absolutamente familiares. (Qué ganas me dieron de abrazarla y de advertirla de peligros futuros, como el de aquel usurero implacable que con su jerga de encantador de serpientes casi nos deja en la calle; también consideré pedirle que no atormentara a ese niño, o sea yo, por su bajo rendimiento escolar, como lo había hecho conmigo.)

Mi versión infantil entró corriendo por el zaguán y la mujer, mi mamá, me preguntó qué deseaba. «Le traigo un mensaje importante al licenciado», fue lo primero que atiné a decir. Ella, con una confianza impensable hoy día, me invitó a pasar. Se notaba que en aquellos tiernos años setenta, la peste del despojo cotidiano no había contagiado a tantos como ahora. Fue emocionante reencontrarme con la remota casa de mi infancia. El papel tapiz de falsos ladrillos en el bufete paterno. El amueblado antiguo que años después me llevé a la granja donde nacieron mis hijos. La inolvidable *RCA Victor* en la que veía cada jueves los encuentros de la Bundesliga, con personajes como el "caballo" Konopka y la "pulga" Simonsen. Oí los pasos de mi padre acercándose desde las habitaciones interiores. Su taconeo pausado y militar era inconfundible. Pero no quise verlo: su muerte reciente, en 1993, me llenaba de temores metafísicos, por lo que preferí huir. (A él sólo le hubiera recriminado no obligarme a emular su férrea disciplina; asimismo, su indiferencia a mi juvenil talento futbolístico, el cual jamás le pareció digno de estímulo. Su frase era esta: «Es deporte de albañiles, hijo; mejor debieras jugar béisbol».)

De dos zancadas llegué a la puerta y abandoné la casa. Iba sumamente agitado. Afuera, otro latigazo de sol atacó mis ojos con furia. Parpadeé casi dos minutos sin lograr reponerme, pero no me rendí. Al recuperar enfoque, el desasosiego me causó una taquicardia telúrica. Durante los escasos momentos en que entré a mi casa de antaño, otra transformación temporal enloqueció mi ya de por sí trastornado sistema de fechas: la cuadra se llenó de chatarras, bares y burdeles. El tráfico era una estampida de llantas en cámara lenta, mucho más denso que en mi actual 1994, y la decadencia arbitraria inundaba el callejón por todas partes.

El estupor me perturbó; me sentí víctima de un naufragio de relojes. Cuando recobré un poco el aplomo me dispuse a caminar. Era tan embrollado el cuadro que apenas podía trasladarme de un lugar a otro. Fingiéndome ido, lo cual era ampliamente presumible por lo anticuado de mi indumentaria, le pregunté la fecha a un travesti pintarrajeado que se apoyaba en un poste de luz eléctrica. «Es 23 de octubre del 2014, papito» me respondió con voz frívola, y agregó un «pero vos parecés del siglo pasado, rey; esa tu moda tan retro da pena».

Estaba veinte años adelante del calendario en que mi existencia cronológica había perdido el norte. El tiempo me estaba jugando la peor broma de mi vida. Más que náufrago, ahora mi situación era la de un solitario balsero en pleno ojo del huracán.

Aterrado por el escenario agresivo y hostil de los alrededores, empecé a caminar hacia el centro. Sin rumbo definido al principio, me eché a andar a la espera de que un milagro me regresara adonde correspondía. Lo único que me interesaba era salir de aquella barriada lúgubre que años antes había sido mi vecindario.

Unas calles arriba se me alumbró una idea que concebí como una solución desesperada: sólo en la clínica de la dentista podría liberarme de la pesadilla. Era preciso volver allí y retomar mi vida de 1994. En quince minutos de caminata llegué; ver la puerta al fondo del vestíbulo me devolvió un poco de la serenidad perdida. Pero la naciente calma sólo duró lo mínimo: el frenesí y la fatiga me habían impedido descubrir que la sala con los cuadritos de París, el ventanal de vidrios opacos y las revistas *Visión* y *Vanidades* ya no era la misma. Adentro, rodeado de varias personas de luto, me percaté de que en vez de clínica, aquella era una funeraria. A un costado de la capilla, un ataúd color ocre dominaba el espacio con su perfil funesto. Me senté en un sofá cerca del baño y desde allí vi salir a mi hermana Carmen Alicia. Iba llorando y con un rosario en la mano; sobre su espalda destacaba una joroba que contrastaba enormidades con su perfecta figura de otras épocas. A partir de eso, empecé a notar el desfile de gente conocida. Mis amigos de antaño, envejecidos. Mi espléndida esposa, en ocaso rotundo. Mis pequeños hijos, adultos.

Cuando levantaron el féretro, una plácida vacuidad me revolvió las entrañas y descargó sobre mi memoria una centella de recuerdos. En un periódico olvidado encima de una mesa, leí la noticia a grandes titulares: mi dentista de la niñez, aquella mujer rubia que me martirizaba con su taladro y su soplete de aire, me había asesinado a tiros. Mi foto, veinte años mayor de cuando había entrado en la clínica a curiosear en 1994, estaba en primera plana. Quise volver a ser niño, como había escrito en el poema del colegio. Pero algo se liberó de mi oprimido pecho cuando, en el sillón de la par, mi dentista ya decrépita y anciana me invitó a seguirla. Había reemplazado su pulcra bata blanca y sus guantes esterilizados por una túnica negra y unas manoplas de hierro. Aquel atuendo encajaba mejor con ella. Le iba más. Fui tras sus pasos sin oponer resistencia. La serenidad se había adueñado de mí. Qué importaba ya si estaba en 1974 o en 2014. Así lo entendí todo: siempre le había temido más a los tratamientos dentales que a la misma muerte. Estoy siendo niño otra vez. Recuerdo a Townshend: «Quiero morir antes de envejecer». O por lo menos antes de volver a sentarme en la silla de un dentista.

A Rodrigo Mendoza, Pirrín

EL IMPERIO DE LA LUZ

Es como una maldición: en su cielo amanece cada día normalmente, pero las calles de esa ciudad mantienen, sin tregua, una penumbra inalterable y sorda. Sus semblantes de urbe, sean avenidas o plazas, se acogen con estricta rigidez a rasgos sombríos y difusos para manifestarse. Hace muchos años que la nocturnidad es ley. Las horas técnicamente diurnas existen sólo por decreto.

Noche necia, le dicen unos; vigilia bíblica, le llaman otros. Fuera de ello, el resto es más bien rutinario: la angustia titila en los charcos; el miedo es máxima autoridad. En el ambiente, el dinero impone una obsesión voraz y enfermiza de la que sólo se libran los miserables de pura cepa. Negarse a sí mismos y aspirar a ropajes impropios se ha vuelto azote entre los pobladores del lugar. Verse de menos unos a otros determina su inveterada idiosincrasia. Y si alguien osa descollar, es deber patriótico inventarle cortapisas y zancadillas hasta traérselo al suelo. No faltan los oportunistas de profesión; los serviles que reptan en cada campaña política a los pies del candidato con más posibilidades, o los que, para curarse en salud, agradan a los de aquí y a los de allá, por aquello de las sorpresas electorales.

Otros se limitan a las efímeras conquistas de la apariencia y se endeudan por oficio, aunque aquello equivalga a sufrir prolongados y crueles insomnios. El perfil de la metrópoli es mediocre y fatigado; el distintivo misterioso que rompe los esquemas de cuanto trotamundos visita sus calles es la invariable nocturnidad. Una nocturnidad que, a fuerza de costumbre, ha cultivado en sus habitantes una indiferencia inmune a todo lo relacionado con la perenne tiniebla.

Una sola vez, por un hecho sin precedentes que estremeció la monotonía local, aquel sitio presenció atisbos de reflexión acerca del ceño fruncido que le marcaba la suerte. Sucedió un sábado de abril; había luna llena y el viento enredaba los árboles en una danza templada. Antecedido por un coro apocalíptico que paulatinamente cedió sus armonías a la quietud, un rayo de luz partió el cielo de tajo y erigió un obelisco de cometa sobre una vía apenas transitada del Centro Histórico. Su resplandor impávido, que más parecía la hoja de una espada gigantesca, se clavó en el tejado de una casa maltrecha y antigua de balcones oxidados.

La ciudad entera se conmovió al ver aquella rendija vertical atravesando el horizonte, y reaccionó con una histeria jubilosa, inédita hasta entonces. La multitud se arremolinó frente al portento, como plebe curiosa alrededor de un condenado; la fuerza pública, que llegó al instante equipada con armas de todos los calibres, no tardó en rodear el insólito recinto.

La muchedumbre quedó estupefacta ante lo que vio. Hubo quienes intentaron acercarse, pero fueron brutalmente repelidos por el cerco policial. Y claro, también llegó el ejército.

Un arcaico altavoz impuso silencio en la turba. El coronel con fama de sanguinario fijó el ultimátum a quienes ocupaban el rincón de lumbre; la prepotencia del tono confirmó el repudio que sus insignias dispensaban al resplandeciente prodigio. Así, en medio del barullo y del pasmo, los moradores de la casa decidieron salir, pese a no entender del todo lo que estaba sucediendo. La puerta se abrió. De adentro emergieron cinco vagabundos cuyo aspecto -entre gitano y onírico- contrastaba con el aglomerado y lúgubre cuadro reinante.

Recién terminaban una bohemia de noche entera, y sus ropas despedían una fragancia de incienso esotérico mezclado con un tinto francés. La indumentaria de todos sugería una facha musical.

Durante la indagatoria, aquellos seres festivos que habían atraído la ruta luminosa más perdurable de la que la ciudad tuviera memoria, respondieron a cuanta pregunta se les formuló con aforismos espontáneos. Ninguno de ellos dio pistas suficientes como para suponer que su reunión hubiera vulnerado la moral, o puesto en peligro al sistema imperante. La guardia revisó con lujo de saña el interior de la casa, pero no halló más que botellas vacías y unos papeles «llenos de basura», según pudo leerse después en el parte oficial.

Tres días más tarde, el quinteto de vagabundos fue fusilado, bajo los cargos de brujerías obscenas al margen de la ley y vandalismo luminoso atentatorio contra la seguridad del Estado. La ejecución contó con el aval de casi toda la gente y reunió un tumulto aún mayor al de la sonada captura.

Entre los delitos detallados en el acta de sentencia figuraba el de «parias del sistema», por producir únicamente «artículos no compatibles con el mercado libre» y dedicar su tiempo a «tareas improductivas».

Las calles de la ciudad siguen sin conocer la luz del día. Los charcos de angustia son ahora de sangre. El miedo mantiene firme su timón.

No está de más mencionar que dentro de algunos años, la historia registrará, por medio de una cadena de homenajes póstumos, que los cinco fusilados en cuestión eran poetas.

A Luz Lescure

DORIANA

La tradición intelectual de su familia era una carga fastidiosa para Doriana López-Bercián. No porque le desagradara el mundo de los letrados, o por burdos afanes de llevar la contra. Su problema tenía otros orígenes: ser nieta de una de las celebridades literarias del país, sobrina de un prominente pintor e hija única de un ideólogo político con categoría continental, empujaba a todos a esperar de ella la lógica continuación de los dotes extraordinarios que parecían viajar por su genética. Pero la personalidad de Doriana contrastaba con la estirpe. Sus predilecciones oscilaban entre el baloncesto jugado con coraje y las comedias ligeras de corte *hollywoodense*. Prefería pasarse una tarde hablando por teléfono con sus amigas, que leyendo a los poetas surrealistas o dilucidando los misterios de la astrofísica. Entre un espectáculo de patinaje sobre hielo y un concierto de la orquesta sinfónica, se quedaba con lo primero sin pensarlo dos veces. Sus temas favoritos de conversación no eran aquellos extraídos de las exhaustivas lecturas; sus intereses no se relacionaban con los cambiantes avatares de la situación mundial, ni con las obras experimentales de los escritores de vanguardia. Lejos de ello, podía enfrascarse en interminables charlas sobre la vida privada de sus amistades, o platicar durante horas acerca de los bares más frecuentados de la ciudad.

Hasta sus años finales de adolescencia, tales desmanes contra el prestigio familiar no le afectaron gran cosa; la edad se prestaba para las superficialidades. Las fiestas y los novios no la dejaron enterarse del inconsciente desacato al orden eruditoide de los López-Bercián. Ella era una más de las que bailaban el ritmo de moda o fumaban a escondidas de sus padres en una terraza.

Fue a su ingreso en la universidad cuando empezaron los conflictos. Al sólo notar el apellido en las listas de alumnos, los maestros la ponderaban con mil alabanzas y le atribuían el parentesco con grandes pensadores del país; hubo quienes hasta llegaron a expresar su orgullo «por contar en el salón con su presencia».

Como secuela de semejantes elogios, Doriana adquirió reputación instantánea de genio y de sabelotodo. Y con ello también cambiaron sus circunstancias inmediatas: un aire de admiración la rodeó delante de sus compañeros, y una jerarquía otrora impensable la situó en el estrellato de la noche a la mañana. Por primera vez en su vida, esa inseguridad que la había llevado a comerse las uñas sin control y a cultivar el tic de acolocharse una trenza imaginaria se transformó radicalmente: en clase era remoto verla con los dedos en la boca y más raro aún con la mano en el cabello. La gloria caída del cielo le había concedido prestancia; cada tarde en la universidad era de estímulo para su estructura interna. Se sabía impostora, pero a ratos se engolosinaba y terminaba creyéndose el cuento: Doriana la intelectual, Doriana la sabia. Contra su misma naturaleza, intentó mantener y hasta aumentar el aura gratuita con que los catedráticos la habían investido. Aprendió a disponer siempre de una respuesta, aunque en ocasiones tuvo necesidad de inventar uno que otro dato, o bien improvisar por completo sus afirmaciones. Cuando a alguien le surgía una duda de literatura, nadie vacilaba en consultársela. Igual en economía, historia o política. Para todos era fuente instantánea de conocimiento.

Al principio pudo con el papel. Había oído suficientes conversaciones lúcidas en casa como para apantallar a sus iguales. Y aunque no había leído demasiado, los pocos volúmenes registrados en su anaquel personal distaban con creces de los comparativamente más escasos del resto de alumnos.

Unos la veían con un respeto desmesurado y la envidiaban a la buena; otros la consideraban una competencia imposible de sortear y la envidiaban a la mala. En la mayoría inspiraba un recelo muy similar al miedo.

Terminó el semestre. Cómoda en el pedestal, Doriana confió su suerte a los magros conocimientos adquiridos en su hogar y, sin darse cuenta, su vieja vocación por el baloncesto y las largas charlas telefónicas volvió a llenar sus jornadas. Los demás estudiantes la mantenían en el altar de sabia incuestionable, pero dos de sus compañeras a quienes la procedencia laureada de la López-Bercián causaba un escozor de rabia, se habían propuesto como objetivo primordial de sus vidas, desplazarla y destruirla. Si posible, con lujo de humillación.

Con el objetivo claro, nadie pudo detenerlas en su empeño de leer dos libros semanales y cuanta revista de actualidad llegara a sus manos.

Tras una discusión en clase, centrada en la obra de su celebérrimo abuelo, la vida de Doriana cambió drásticamente: Emma y Ruth, las dos enemigas que no le perdonaban su parentela conspicua, se dedicaron a derribar cada débil argumento esgrimido por ella, quien basando su defensa en frases ajenas, no pudo rebatir los ataques por más que trató.

La tortura empezó a ser frecuente, aun fuera del aula. Y no sólo a manos de Emma o Ruth: sus detractores se acumularon poco a poco hasta llegar a un número incontable. Frases como: «Allí va la nieta de Armín López-Bercián, la que jugaba a sabia», o «¿Qué diría el gran don Armín si viera a su nieta en semejante ridículo?», eran los entredientes que por lo regular oía a su paso por los corredores y las clases.

La depresión la sumió en un desencanto perenne. No soportaba la ironía con que la trataban. Le avergonzaba dar la cara a sus padres, pues no se sentía digna representante de la espada heráldica empuñada desde muy atrás por los López-Bercián. Se pasaba horas y horas frente a la pintura de su abuelo, el más connotado de la familia, hablando con él de sus desventuras y fracasos. Fue tanta su insistencia de conversar con ese anciano al óleo -pintado por un artista francés traído al país sólo para retratarlo-, que a veces sintió la sensación de que el viejo iba a contestarle.

El íntimo deseo de Doriana era poseer la sabiduría de don Armín. Soñaba con obtener, por arte de magia, una montaña de datos en su mente para así vengarse de quienes la ridiculizaban en la universidad. Se imaginaba segura de sí y con expresión de docta, sentando cátedra de cuanto movimiento literario hubiera impresionado al mundo, o disertando acerca de la pintura puntillista con precisión enciclopédica.

Los monólogos al pie del cuadro del abuelo se intensificaban después de cada derrota en los altercados en clase; se le había vuelto obsesión detenerse en el relegado pasillo del segundo piso donde el retrato colgaba de un vetusto clavo.

También era usual verla en solitarias meditaciones, acompañada invariablemente de un capuchino, en el café del centro donde varios vagabundos de profesión y una pléyade de intelectuales se reunían por las tardes a conversar o a leer. Allí estaba una vez cuando un hombre canoso y elegante se le acercó a hablarle. Doriana no le prestó mayor atención, creyéndolo uno de los tantos viejos verdes que merodeaban por la ciudad. Sólo al percibir cómo en un par de frases aquel misterioso cincuentón le describía su vida con certeza de adivino, cambió la vista de lugar y buscó la mirada del extraño quien a esas alturas ya se había sentado a su lado. Aquello bastó para alucinarse: los ojos penetrantes y convincentes del hombre la cautivaron de inmediato. Su tono de voz, grave y persuasivo, la encantó con cada palabra. El pañuelo en el cuello y las mancuernillas relucientes sugerían un viejo entre interesante y enigmático.

El sujeto no le dio su nombre y se identificó en un tono directo como "doctor" a secas. Doriana empezó a verse con él casi todas las tardes en aquel café. Conversar con el extraño le brindaba la tranquilidad que le negaban sus contrapartes universitarias. Hasta se olvidaba del plomo mental ya instalado sobre su espalda desde las escenas bochornosas en el salón de clase.

No tardó mucho en contarle la historia a su confidente anónimo. El la escuchaba con perfil paternal y atisbos benévolos de camaradería, y daba la impresión de apuntarse cada frase en la memoria. No le hacía mayor comentario, pero, al aconsejarla, le abría posibilidades muy sensatas con sugerencias concisas y bien elaboradas. Ella se dejaba fascinar y esperaba las citas con impaciencia. Hasta llegó a pensar, no sin cierta dosis de miedo, que se estaba enamorando de él. Pero había algo inexplicable que ahuyentaba el erotismo de aquellas citas. Algo de lo que más adelante, apenas tuvo tiempo de darse cuenta.

Pasadas unas semanas, el "doctor" le insinuó una solución definitiva. A primera oída, nada de la propuesta parecía coherente. El hombre, sin embargo, hablaba con una contundencia poco común. Su plan sonaba entre descabellado y espeluznante; entre inverosímil y perverso. De hecho, se precisaba de una desesperación enorme para siquiera considerarlo.

Según él, era perfectamente posible invocar al espíritu del insigne abuelo y agenciarse sus formidables conocimientos por un conducto sobrenatural. Doriana pensó al principio que se trataba de una broma; ese tipo de juegos no entraban, ni por asomo, en su esquema. Pero a medida que el "doctor" desglosaba el plan, se fue dando cuenta de lo serio de su ofrecimiento.

Esa misma tarde, el atractivo señor de las canas interesantes y del pañuelo en el cuello le confesó su verdadera identidad: él era un enviado del príncipe de los infiernos; un emisario del insurrecto ángel a quien las leyes del cielo habían expulsado por rechazar el espíritu de rebaño. De sus ojos salía un desasosiego circular que envolvía sus pupilas en dos nubes incandescentes; sus rasgos, ahora pronunciados por la identidad revelada, hacían de él un personaje aterrador y alucinante.

No era tiempo para arrepentirse. Doriana sintió integrarse a la turbulencia de un remolino de viento, hipnotizada por la mirada de fuego que apuntaba hacia ella con enfermiza atención. Aunque no había perdido sus facultades, un magnetismo profundo le manejaba el destino con una siniestra lucidez. La escasa fuerza de unos jadeos moribundescos evidenciaba cierta resistencia a la perturbadora receta del "doctor", cuya preparación, dictada por él paso por paso, empezaba con requerimientos dignos de un festín mefistofélico: encender frente al retrato de su abuelo cuatro candelas rojas incrustadas en un espejo roto y acompañar el acto con la monotonía de un coro nasal. A ello se agregaban unos granos de cal envueltos en papel estaño, que debían de enterrarse en algún rincón del jardín donde el sol no apuntara nunca de lleno.

Doriana se levantó exhausta de la sesión. Pagó la cuenta con el primer billete que encontró en su bolso y salió del café a toda prisa. Afuera, las luces de un automóvil agredieron sus ojos con un encandilamiento ofensivo, y las sombras de la tarde se multiplicaron a su alrededor en una horripilante danza que le respiraba al oído y le mareaba los pasos. Al llegar a casa, no pudo explicarse cómo había logrado conducir sin estrellarse, pues todo el trayecto de regreso la sumergió en un ofuscamiento febril colindante con el desvarío.

Aquella noche tuvo que tomar varias pastillas para conciliar el sueño. Pero no se libró del trastorno: las escenas de pesadilla la persiguieron en la cama y acosaron con saña cada centímetro de su inconsciente. Doriana soñó con personajes circenses que la rodeaban en un pasillo de la universidad y, al coparla, empezaban a carcajearse a su oído y a morderla con unos inmundos dientes de oxidado y filoso metal. También sintió perderse en el hundimiento repentino de la porción de piso donde se asentaba su pupitre de clase, y caer en un pozo de fetidez y oscuridad, muy similar al de las cloacas. Al tocar fondo, en un riachuelo subterráneo de ondulaciones negras, tres hordas de arañas gigantes tejían una tela de púas en su piel y la ahogaban con una capucha adiposa de calabozo espectral.

El despertar le llegó de súbito. La claridad de su habitación contrastaba ostensiblemente con el tenebroso mundo recién abandonado. Doriana apartó las sábanas de su cuerpo y se dirigió con paso de autómata hacia el tocador. Allí revisó su agenda y confirmó la fecha: aquel martes estaba programada la polémica en clase acerca del teatro isabelino, y era presumible que iba a salir maltrecha por estar sus clásicas enemigas en el grupo contrario. Al recordar las caras de ambas -anteojos anticuados, pelo sin lavar y escaso maquillaje-, un escupitajo de rabia se le escapó de la boca. Entonces vinieron a su mente las instrucciones del "doctor": romper un espejo cuanto antes, conseguir las candelas rojas y envolver la cal para meterla bajo tierra en el sitio indicado.

Cumplidas esas faenas, Doriana se plantó frente al abuelo. La pipa del anciano expelió una leve bocanada de humo; su boina ladeada rompió por segundos su rigidez y se colocó más al centro de la erudita calva. La tenue luz de las candelas comenzó a titilar con furia, mientras los espejos chirriaban con estridencia diabólica. Del jardín se filtraba una niebla rojiza hacia su cuarto; la ventana dejaba caer sus vidrios en un desplome silencioso, en el que los pedazos se esparcían por el suelo sin opacar el desafinado coro del sahumerio.

Al derretirse la cera, Doriana detuvo el rito. Una quietud como de preludio a la tormenta se apoderó del contexto. El grito de la empleada doméstica avisándole que el desayuno estaba en la mesa la devolvió a la realidad, y una sensación pastosa la recorrió de cuerpo entero al incorporarse. Se vistió con ropa lúgubre y bajó al comedor; lo hizo a solas y casi no probó bocado. Tras leer los diarios y revisar una correspondencia regresó a su habitación. Allí permaneció por unos minutos, acariciando unas obras completas de Shakespeare que habían pertenecido a su abuelo. Su índice izquierdo estaba metido en la página trece de *La Tempestad*.

No salió de su dormitorio sino hasta la hora de ir a clases. Todo parecía normal, salvo el aroma a nardo que despedía su cuello con obviedad insultante. Entró al salón media hora antes que el catedrático. Simulaba leer y consultaba el reloj. Se regodeaba en un júbilo malévolo. Los escritorios fueron poblándose de compañeros y de cuadernos, en la rutinaria escena de un monótono jueves. Emma y Ruth se sentaron en el extremo opuesto y, como de costumbre, no la saludaron.

El debate se inició sin retrasos significativos. Doriana tomó posición para disertar; sus enemigas se sonrieron entre sí cuando una de las dos, específicamente Ruth, desafió a la "talentosa" -como la apodaban en secreto-, a lo que siguió un gesto burlón de suficiencia.

Media hora más tarde, la vapuleada era historia: Ruth no había logrado defender uno solo de sus argumentos contra una irreconocible Doriana, quien parecía dotada de una erudición tan sorprendente, que el mismo profesor se sintió apabullado por la exactitud en el manejo de datos, y en especial por las citas de memoria hechas por ella de obras poco comunes de Shakespeare. La escena se repitió en la clase de política y fue tan aplastante en las discusiones sobre economía, que el catedrático renunció. Bastaron un par de semanas para que su fama se regara por toda la universidad. Emma y Ruth, igual que los demás, no podían entender el cambio. Las amistades cercanas de la otrora parlanchina Doriana resintieron lo hosco de su recién adquirida personalidad. Unos comentaron, no sin razón, que hasta la expresión le había cambiado. Ya nadie hablaba con ella de las vidas ajenas; sus compañeras del baloncesto la habían borrado de la lista, pues no llegaba más a los juegos ni se interesaba en los resultados del equipo.

Doriana saboreaba cada victoria sobre sus rivales con una sonrisa sardónica e hiriente. Su aislamiento, ahora más notorio, la había mitificado a tal punto que muchos se cambiaron de carrera o abandonaron la universidad para no encontrársela.

Emma y Ruth, heridas en su amor propio, duplicaron su disciplina de lecturas, pero la superioridad de su enemiga acérrima se hacía manifiesta en cada escaramuza.

El cambio de Doriana se fue consolidando en un tétrico semblante. Su rostro, antes fresco y casi dulce, se endureció; el ceño fruncido y el rictus retador nunca le faltaban.

Sus padres no se percataron de tal degradación y atribuyeron el desarreglo a los lances de intelectual que cada uno a esa edad había experimentado. Solamente el cura de la familia, quien había llegado de Europa a pasar unas vacaciones con ellos, notó ciertas irregularidades en el comportamiento de su sobrina. Su experiencia en posesiones y exorcismos le confería un cierto dominio sobre los síntomas, por lo que decidió estudiar el caso, aun sin prestarle demasiada atención. Doriana lo advirtió y desde entonces se dedicó a hacerle la vida imposible. Alrededor del tío Hernán, como llamaban todos al sacerdote, sucedían cosas inexplicables. O se caían floreros y adornos cuando él iba pasando, o encontraba su equipaje hecho un caos y con extrañas manchas de óxido. También lo visitaban pájaros impertinentes por la noche, que le picaban la ventana hasta despertarlo y luego desaparecían dejando misteriosas huellas de alas ensangrentadas o animales en descomposición. El cura no se dejó intimidar y se dio cuenta de la aviesa procedencia. No se separó más de un crucifijo de plata adquirido en Asís, ni siquiera cuando se bañaba.

Según sus estudios, era la única manera de estar medianamente seguro. Doriana, mientras tanto, seguía humillando sin piedad a sus compañeros de clase, en especial a Emma y a Ruth, con quienes sostenía una rivalidad de progresiva violencia.

El tío Hernán no quiso correr riesgos innecesarios y tomó las cosas con calma. Después de varios días de observarla, su conclusión de que Doriana estaba poseída pasó a ser definitiva. Deducirlo no fue tan complicado por un episodio previo en su vida sacerdotal: en Portugal, hacía cuatro años, había visto el caso similar de un adolescente a quien sus amigos desdeñaban por no jugar bien al futbol, pero que de manera repentina se volvió un astro de los campos. De acuerdo con sus apuntes, el muchacho había pactado con el demonio, al entregarle su alma a cambio de obtener las cualidades del máximo goleador de la liga portuguesa. El clérigo había participado en dicho exorcismo y recordaba muy bien cómo el poseso, ya a salvo, había confesado que frente a un afiche del jugador, apellidado Futre, había practicado un extraño ritual. Los diarios del país comentaron el bajón manifiesto de condiciones que inexplicablemente había sufrido el famoso deportista de un día para otro.

Para el tío Hernán no quedaba muy explícito cuál podía ser el pacto que Doriana hubiera podido hacer con el diablo, debido al escaso conocimiento de sus características personales. Sólo tenía una idea clara: era preciso engañar a la Bestia hasta donde la astucia permitiera y atacarla desprevenida. Siguiendo dicho plan, se abstuvo de alertar al resto de la familia y actuó por propia cuenta. Los accidentes a su alrededor se multiplicaron en aquellos días; la vida en la casa se la hacía cada vez más difícil y peligrosa.

El colmo fue que una mañana, cuando estaba a punto de subir a un automóvil, una precaución intuitiva del chofer evitó que el padre Hernán se matara, pues tres de los neumáticos estaban a punto de desprenderse. A partir de eso, a sabiendas de que el enemigo se hallaba sobre aviso, el sacerdote desencadenó una estrategia desesperada, observando casi con descaro las rutinas de Doriana. Llegó hasta el extremo de perseguirla en la universidad, pese al refunfuño insolente de ella, que se acentuaba con desafiantes escupitajos lanzados al suelo en obvia señal admonitoria. Por la noche, después de recorrer el campus sin arribar a conclusiones claras de lo que le sucedía a su sobrina en el ámbito estudiantil, el clérigo decidió ir al segundo piso y trató de entrar en la habitación de Doriana. Al lado de la puerta, en el pasillo contiguo, se encontró sin esperarlo con el arrumbado retrato de Armín López-Bercián, su padre.

La impresión inicial que lo inundó al verlo no fue de excesiva sorpresa. Esa parte de la casa era poco frecuentada por el resto de la familia y, a juzgar por las telarañas, parecía que ni siquiera la servidumbre se asomaba mucho por allí. Se detuvo frente al óleo y meditó sobre los muchos años que tenía de no ver la pintura. Pero al observarla con detenimiento descubrió un detalle que llamó su atención: la clásica boina azul se había vuelto verde y la expresión de su risa guardaba un candor casi juvenil, el cual contrastaba con los ojos relampagueantes del célebre anciano.

El cura ocupó varios minutos en estudiar a fondo cada trazo del cuadro, hasta deducir que el equivalente de Futre para el joven futbolista, era el abuelo para su sobrina. Entonces ató más cabos y recordó, palabra por palabra, lo dicho por alguien en una cena familiar: «Doriana ha cambiado mucho. Desde que se volvió intelectual tiene otra expresión. Son cosas de la sangre. Su padre fue idéntico a esa edad».

Las frases las tenía fotográficamente grabadas en la memoria. Cada sílaba pronunciada por la voz de su archivo mental le propinaba un martillazo en los sesos. Observando con más detenimiento el cuadro, el sacerdote fue hallando rasgos que antes había visto en su sobrina, cuando años atrás había visitado la casa durante sus vacaciones. La ingenua frivolidad de sus ojos sustituía la mirada analítica del abuelo. La piel del lienzo dejaba ver una lozanía apenas perceptible para un espectador desprevenido, pero evidente al sólo prestar un poco de atención sobre los contornos del retrato. Por semejante hallazgo, el clérigo fue momentánea presa del pavor. Las piernas le temblaron y un escalofrío profundo lo recorrió de pies a sombra. Una carcajada que se confundía con el llanto casi infantil de una mujer le dio vida al cuadro. Por unos segundos, sintió varias corrientes de aire moviendo las cortinas y trayéndose al suelo adornos y espejos. La visión estuvo a punto de quitarle los últimos arrestos de vigor que le quedaban y de tumbarlo con un infarto. Pero logró mantenerse en pie mediante letanías de purificación y por su acogimiento al crucifijo de plata que portaba en el pecho. Mientras aquello sucedía, Doriana iba saliendo de la universidad por un camino cercano a las canchas de baloncesto. Coincidentemente, había juego a esa hora y varias de sus amigas no vacilaron en llamarla para que se uniera de nuevo al equipo. Ella las vio con desprecio y siguió de largo sin contestarles. Pero por la insistencia, se volvió para intimidarlas con una dosis de escupitajos dignos de un ser satánico. Y cuando se disponía a abandonar las canchas, las compañeras vieron algo que terminó de espantarlas: el cuerpo de Doriana empezó a contorsionarse; de su estómago surgió un alarido en un tono casi cavernario. La silueta firme sufrió una mutación: su busto erecto y abundante, sus brazos largos de encestadora certera, su perfil delineado con curvas perfectas y su deshecho pelo aún femenino, estaban devastados por una severa conflagración de males.

El tío Hernán estaba quemando el cuadro del abuelo en ese mismo momento. Lo hacía en una hoguera en medio del jardín, con un fuego iniciado por una candela blanca y tres hojas de papel celofán claro. Todo el ritual se desarrollaba frente a un espejo entero y acompañado de constantes baños de agua bendita, que caía como latigazo en el espíritu maligno y lo ablandaba para hacerlo abandonar, poco a poco, el cuerpo de Doriana.

Fue terminar con la pintura para que el sacerdote reparara en un detalle: debía encontrar a su sobrina de inmediato y practicarle un rito directo para evitar atrofias en su sanación. Recordó con tristeza el resultado del exorcismo al que habían sometido al niño de Portugal, pues al liberarlo del endiablamiento, había conservado el cerebro del futbolista, razón por la que jamás pudo reinsertarse en su realidad anterior.

Cuando el padre Hernán bajó las gradas y buscó a alguien de la familia para pedir ayuda, se encontró con Doriana en la puerta de la sala. La vio aniquilada y envejecida, con la ropa floja a punto de caérsele. Quiso abrazarla, pero no llegó a tiempo. La niña, hecha una anciana, se desplomó frente a él y quedó regada en piezas sobre la alfombra. Parecía una muñeca desarmable de esas que guardan los áticos, con una pierna por aquí y la cabeza por allá.

El clérigo intentó revivirla uniendo con desesperación sus extremidades, pero todo fue inútil.

Al otro día, el caso ocupó la primera plana de los diarios y pasó a ser el tema de conversación de la ciudad. No sólo por la novelesca posesión de la ahora difunta Doriana, sino, especialmente, porque todas las fotografías de su abuelo y los dos monumentos erigidos en su honor, habían adquirido un aire de juventud sin que nadie pudiera explicárselo.

Desde entonces, a la calle donde viven los López-Bercián no se asoman ni las moscas, y es muy raro que alguno de la familia se atreva a salir. El padre Hernán, ahora internado en un monasterio para párrocos desequilibrados, se pasa el día simulando jugar baloncesto y repite constantemente que en él se ha reencarnado una joven mujer. Nadie termina de entender por qué la desgracia asoló con tanta saña a los López-Bercián. Sólo el anciano de la esquina, un jubilado filólogo que fue el único en no se mudarse después del incidente de Doriana, se ha atrevido a esbozar una teoría. Según sus conclusiones, el infortunio lo llevó ese hombre que se adelantó a la policía y a los periodistas la tarde que la niña murió casi en las barbas de su tío el cura.

Sentado como de costumbre cerca de su ventana, el viejo vio a un tipo canoso y elegante, de pañuelo en el cuello y mancuernillas relucientes, tocando a la puerta justo cuando ocurría el encuentro entre el padre Hernán y su sobrina. Aquel hombre, quien se identificó como "doctor" a secas, de acuerdo con el parte oficial, ingresó en la casa y dijo ser amigo de la joven. En un instante, la fisonomía de la fachada cambió con abrupta rapidez. El anciano lo sabe porque fue el primero en llegar cuando los gritos de la empleada doméstica alborotaron al vecindario. Fue a él, precisamente, a quien presa de los nervios y de la impresión, el tío Hernán dio a cuidar su crucifijo de plata, minutos antes de sufrir el ataque de demencia que ahora lo tiene confinado en un manicomio eclesiástico. El vecino jamás podrá olvidar cuando se vio cara a cara con el "doctor" y algo en su interior le dijo que tener ese crucifijo en las manos lo había salvado de un conjuro diabólico, o de hundirse en un abismo de llamas muy parecido al infierno. Desde aquella tarde, nunca se separa de esa imagen de Cristo. Ni siquiera cuando se baña. Y cada vez que el "doctor" aparece en su ventana e intenta seducirlo con sus ojos de fuego, basta con mostrárselo para que se aleje perturbado hacia el otro lado de la calle.

Repelido por el crucifijo de Asís, el "doctor" regresa con su rabia a cuestas a habitar de nuevo la casa de enfrente: la vieja e infausta casa de los célebres López-Bercián.

A Ramón Banús, Enio Lima, Astrid Goosmann, Juan José Espada, Luis Domingo Valladares y Carlos Méndez

TIMPANO GÓMEZ Y SU OREJA DERECHA

A él todos lo conocieron como Tímpano Gómez, pero en sus documentos de identidad se leía claramente un nombre de origen indonesio: Darman. Era flaco y taimado. Solía pasar inadvertido, cual mueble de esquina, y su alargada figura lo hacía escurridizo hasta para los espejos. Nunca estudió, y lo mucho que llegó a saber hubo de aprenderlo de maneras poco ortodoxas, aunque relativamente normales para el país donde vivía.

Su primer trabajo fue de conserje en una fábrica; limpiaba baños y pisos, silencioso como los grillos dormidos. Allí descubrió la gracia con que la naturaleza lo había dotado. Allí emprendió su exitoso y a la vez trágico oficio.

La vocación tocó a su puerta a la mitad de una tarde más bien normal, que para él terminó siendo casi un encuentro con lo parasicológico; al ver a cinco operadores de máquina reunidos subrepticiamente en el rincón más oscuro de los vestidores, sintió una incontrolable curiosidad por saber lo que tramaban. Fue algo mucho más fuerte que simple ansia de conocer los detalles de aquella sesión secreta; una voz interna, como de imán, lo atraía al murmullo sin que pudiera resistirse.

El tono de complicidad y las consignas solidarias en voz baja lo estimulaban; los aires de levantamiento provocaban su morbo. Y aunque el miedo hizo presa de su conciencia, todo esfuerzo de recato fue inútil: bajo los efectos de una revelación del instinto, Gómez se quitó la oreja derecha y quedó asombrado al comprobar que ésta seguía oyendo tan campante, y que su cabeza no sangraba a borbotones, con todo y lo grotesco del desprendimiento.

Guiado por un sigilo de hiena, la dejó caer cerca de donde conspiraban los inconformes y se retiró a sus labores en uno de los corredores del fondo. Pero su sorpresa fue aún mayor cuando, a la distancia, se enteró del oculto plan de los trabajadores que armaban una huelga para obtener un seguro contra accidentes, negado de manera sistemática por la compañía, a pesar de que los mutilados eran habituales en la planta industrial.

Darman simpatizó con la idea, pues apenas dos semanas antes había visto a uno de sus compañeros perder la mano, tras una leve pifia que la implacable sierra no perdonó.

Al otro día, el destino y su rutina cotidiana lo llevaron a presenciar cómo uno de los implicados en la protesta denunciaba a sus compañeros, acción por la que el delator recibió una jugosa suma del encargado de personal, que era el ejecutivo más temido de la fábrica. Una hora después, los cuatro sorpresivos despidos, atribuidos a cambios en la organización, desbarataron el plan y redujeron al orden a los aprendices de insurrectos, cuyos líderes esperaban asestar el golpe definitivo durante la jornada de la tarde.

Gómez ató cabos de inmediato. Él se había privado de ser el gran ganador de aquella fallida revuelta, por no adelantarse en la delación. ¿Por qué no se le había ocurrido a él? ¿Por qué capitalizaba otro lo que sus dones de "trópico ciencia ficción" habían registrado con nitidez precisa? Pero no todo estaba perdido: en lo más íntimo de su mente un chasquido de vasos brindó por sus enormes posibilidades futuras. La intuición se lo dictaba: en este país de tantas puertas cerradas, él podía hacer carrera de soplón; un soplón con talentos fuera de serie.

A partir de entonces utilizó su oreja prodigiosa para enterarse de cuanto sucedía en su lugar de trabajo y empezó a hacer acopio de información privilegiada que le confería un poder excepcional. En pocos meses, la fama adquirida lo convirtió no sólo en hombre célebre, sino en un fabuloso negociante. Igual cobraba por describir con pelos y señales la baja pasión entre el gerente y su secretaria, que por delatar a los urdidores de tretas para exigir aumentos de sueldo. Su oreja no fallaba una. Nadie se explicaba cómo Tímpano, apodo con que muy pronto se bautizó a Darman, podía repetir palabras textuales de conversaciones en las que no había participado.

Aquellos eran tiempos de matanza indiscriminada: casi cualquiera podía ser el trágico jamón entre unas fuerzas estatales sanguinarias y un movimiento rebelde que tampoco se tentaba el alma para matar. No era una guerra civil de las convencionales, aunque se vendiera como tal. Y no lo era, sobre todo, porque lejos de ser dos ejércitos en pugna, la mayoría de caídos se contaba del lado civil. Cada mañana, los titulares de prensa registraban a los ametrallados de la jornada previa. Y también callaban, por miedo y acomodo, los desmanes represivos de una dictadura que defendía su poder a golpe de saña y terror.

El lado gubernamental no escatimaba plomo en amedrentar a una población en la que dos fraudes electorales consecutivos habían sembrado la simiente contestataria. En la cotidianeidad se respiraba un aire amenazante con olor a vigilados y perseguidos; hablar en favor del cambio era peligroso y no apoyarlo también. El sello atroz de este enfrentamiento era la lesa humanidad que regía el fuego cruzado; la cruel brutalidad del paroxismo del exceso.

No extraña, por ello, que la reputación de Gómez no tardara en llegar a oídos de las esferas asesinas del régimen.

Despedido de la fábrica por exigencias específicas del sindicato, al que evidenciaba tanto en sus acciones en pro de los trabajadores como en sus maniobras corruptas de oportunismo autocompasivo, Tímpano quedó efímeramente desempleado. Muy pronto, una oficina paramilitar dedicada a elaborar "listas negras" lo llevó a sus filas sin imaginar que aquella contratación iba a significar el reclutamiento de un agente estrella.

Su oreja derecha, ahora entrenada por los maestros del espanto, causó estragos en numerosos enemigos del aparato oficial; mucha sangre corrió desprevenida por la precisión de datos suministrada en los informes de Darman. Era tan efectivo y entregado en su oficio, que a veces "escuchaba" por pura vocación curiosa y hasta por error. Así se enteró de los amoríos entre su mujer y el esposo de la vecina, luego de una desafortunada casualidad: una mañana, abrumado por la prisa, dejó olvidada su increíble oreja en el lavamanos.

Se despidió como siempre y acompañó a su madre a un edificio cercano donde pasaba las mañanas en un club religioso. Y como llevaba una gorra que le cubría buena parte de la cabeza, nadie advirtió la carencia. Pero al desconectarse de la plática con su mamá, no tardó en darse cuenta: había dejado en casa su instrumento vital de trabajo, y unas voces familiares lo pusieron en alerta. Por medio de la célebre oreja, Tímpano oyó el clamor amatorio de su esposa, a quien él jamás llegó a satisfacer, ni por asomo, como lo hacía el humilde pero fogoso carpintero de la vivienda contigua. Y claro, tras la golpiza de rigor a esa «perra del demonio», como llamó a su compañera de hogar mientras la vapuleaba, el flamante Romeo de la vecindad apareció muerto y torturado en un barranco.

Santos en paz, aquí no ha pasado nada. Gómez dobló la página tan tranquilo, asistió al funeral del hombre a quien él mismo había mandado a ajusticiar, se solidarizó con la viuda a quien le dio el pésame con un «lo siento, era tan buen hombre su marido», y regresó a su casa a seguir siendo el de siempre: un hijo cariñoso y sumiso (Edipo, Edipo, Edipo), un marido indiferente pero tranquilo (más ahora que, después de la sanción admonitoria, había dicho que «no quería volver a mancharse las manos por una mala esposa»), y un jefe de familia digno de imitarse por su brillante carrera en las fuerzas de seguridad, garantes, según su propio discurso, de que la democracia y la libertad siguieran siendo parte de los activos de una población «malagradecida».

Es de apuntarse que en aquel hogar no había retoños; Darman sufría de una deficiencia incurable que lo descartaba como posible propagador de su genética. De ahí su relación tan paternal hacia sus dos hermanos, sobre todo con el menor.

Aunque del diente al labio pareció superar la escena de la infidelidad, el episodio resultó terrible para Tímpano; su desconfianza contra el mundo se volvió patológica. No lograba apartarse del malabarismo auditivo que le prodigaba la diestra de sus orejas; lo hacía en los sitios menos esperados y a las horas más inusitadas. Seguía enterándose de cuanto romance prohibido surgía a su alrededor y de todas las charlas privadas que se cruzaban por su camino. De hecho, fue así como la mañana de un martes sorprendió al benjamín de sus hermanos susurrando sospechosamente con dos amigos. Hacía rato que le extrañaba el comportamiento del aún púber, en particular por su fervorosa afición hacia la música andina y su manera fachuda de encarar la diaria vestimenta. Dudó en espiarlo. Su intuición le avisaba que no iba a agradarle lo que había detrás de aquel cuchicheo. Pero pudo más su curiosidad y no se aguantó la vulgar tendencia a fisgonear de oídas. Así se dio cuenta de algo insólito y doloroso: en su propia casa, allí donde se olvidaba de su lado oscuro y se volvía agriamente bonachón, había un peligroso opositor del sistema, en cuyas venas, para mayor desgracia, corría de su misma sangre. Su Juanito tan querido; ese muchacho a quien veía con tierna debilidad. El hijo tan añorado que tanto le había pedido a la vida y que nunca logró tener.

Por semejante cosa, se vio obligado a poner en la balanza su lealtad familiar con la jurada a sus jefes. Sin sopesarlo mucho decidió callarse la boca; la denuncia equivalía a matarlo.

El oficio empezó a parecerle engorroso y pesado. Cada nuevo muerto a su cuenta lo hacía recapacitar sobre los vínculos de su hermano menor con una bandera contraria a la por él defendida como soplón a sueldo. Lo recordaba de niño, cuando le ayudaba a dar sus primeros pasos y le mostraba las fotos de un padre al que apenas conocieron, pero que su madre se había encargado de divinizar, pese al abandono sufrido tras el tercer embarazo.

No trató de cambiarlo ni de encausar sus ideas por el rumbo que él consideraba correcto. Era inútil; lo conocía de sobra como para saber que intentarlo significaba perderlo.
Desde que se enteró de la militancia del muchacho en las filas insurgentes, sus reportes lo fueron envejeciendo a un paso implacable. En pocos meses, dos senderos de canas trazaron una ruta en su escasa cabellera; las muy pronunciadas arrugas de su frente le amargaban los diarios encuentros con el espejo. Y al deteriorarse la situación, Darman no tardó en ampliar su radio de incriminaciones: ya no sólo señalaba a quienes, con certeza, podía ubicar en las filas enemigas, sino a infinidad de incautos que sólo hablaban por hablar. Desde simpatizantes lejanos y dirigentes comunitarios no afiliados a célula rebelde alguna, hasta intelectuales diletantes que se atrevían a cuestionar en privado la obscena violencia con que pretendía

imponerse al miedo como recurso de estabilidad nacional. Todos fueron cayendo víctimas de las delaciones a sueldo de Tímpano.

La noche que determinó su retiro no pudo ser más dramática. Tras hacerse de la información de un pequeño grupo subversivo, que planeaba asilarse en una sede diplomática, Darman dejó la oficina y se fue a descansar, aduciendo sentirse indispuesto. Por la pantalla de su mente pasó en cámara lenta la escena de la ejecución. Se imaginó a seis despreciables subversivos fulminados por el tableteo mortal de dos ametralladoras, sólo metros antes de conseguir un salvoconducto hacia un país seguro. A cinco de ellos les dibujó cara. Al otro lo vio sólo de bruces, con la espalda enfangada en una horrible mancha de sangre.

Para sus adentros, como consuelo, la recurrente frase de su instructor militar puso coto a la taquicardia que lo agobiaba horas antes de un crimen emanado de su portentosa oreja. «Los facciosos no son gente, Gómez», le decía siempre. «Son escoria y de la peor. Acabarlos es un deber patriótico y cristiano. Dios sabe que tenemos razón».

Camino al autobús oyó con su oreja izquierda -no desmontable pero igualmente poderosa- que dos jóvenes con planta de *hippies* murmuraron algo cuando lo vieron pasar. La frase la percibió con claridad: «Ese suda que es oreja, vos». El comentario le dolió. No porque fuera nuevo para él, ni por sentir vergüenza de su oficio. Era algo más grave: ambos tenían un aspecto similar al de su hermano. La misma edad. Discurso idéntico. Creencias afines. Análoga manera de ver el mundo.

Llegó a su casa. Al minuto de sentarse a cenar sintió náusea y terminó en el inodoro más cercano, vomitando lo poco que había comido. Intentó dormir. Cuando su madre lo despertó bañada en llanto, no pudo distinguir si era real lo que vivía, o si seguía inmerso en un desvarío de horror. La desdicha nublaba la habitación con una frialdad de lápida. La familia se había congregado alrededor de su cama, sollozando por la horrenda muerte de su hermano menor, acribillado a balazos frente a una embajada en la que, según los noticieros, se disponía a pedir asilo político junto a un quinteto de estudiantes. Tímpano había puesto sobre aviso a los paramilitares para que acabaran con ellos, ignorando que uno del grupo era aquel a quien amaba como a un hijo.

Se negó a asistir a los funerales. Llegada la madrugada, el soplón estelar de un régimen de oprobio se arrancó la oreja derecha y la tiró con rabia al fondo de un tragante. Lo hizo bebiéndose las lágrimas y en medio de una penosa borrachera. Como sombra mental, se sentía perseguido por una imagen de Judas ahorcándose, luego de dar el beso más repudiado de la historia.

Atendido con prontitud por una ambulancia del sanatorio castrense, no hubo médico ni enfermero que no se asombrara de la lujuriosa cantidad de sangre que manó de aquella herida antes de que pudieran suturarla. El testimonio casi uniforme de los galenos no exageraba en su apreciación: habían sido, como mínimo, veinte litros de chorro sanguinolento los derramados por el ya asimilado sargento Gómez.

Años más tarde, en el paupérrimo manicomio estatal, Darman dudaba si lo que oía eran las ratas devorando en la cloaca su oreja desmontable, o la voz fantasmal de Juanito cantando una tonadilla infantil que él mismo le había enseñado. Ya no importaba; la camisa de fuerza lo tenía doblegado y sus delirios ni siquiera eran dignos de atención para los enfermeros.

Lo que más asediaba su descalabrada psiquis era haberse enterado, al día siguiente de la muerte de su hermano, de que éste no figuraba en la lista de sospechosos que pretendían asilarse aquella tarde para huir del país, sino que a última hora había decidido unirse al grupo, al saber que la célula a la que pertenecía iba a ajusticiar a Darman por las fundadas sospechas que pesaban sobre él, acerca de su labor como escucha de lujo del aparato gubernamental de terror.

Así fue como Tímpano Gómez se salvó de terminar sus días como blanco de una lluvia de balas, pese a condenar a tantos a ese ominoso final, por sus informes al servicio de quienes manejaban la maquinaria de la muerte. La carrera de aquel infalible "oreja" había llegado a su fin: las delaciones precisas y puntillosas por las que «Dios le daba la razón» no iban a causar ningún asesinato más.

DAVID, EL FLORENTINO

1

Violeta Irungaray decidió viajar a Europa la tarde en que su soledad y una película con trama de solteronas le sugirieron la idea de suicidarse. No era de culparla: a punto de cumplir treinta años y sin pretendientes a su alrededor, era lógico que se identificara con semejante desdicha. Nunca había sido afortunada en el amor y ni siquiera conocía el aroma de los besos. Estaba cansada de ir sola a todas partes y de ser el número impar de cuanto grupo frecuentaba. De ahí su rechazo a reunirse con sus amigas de colegio, casadas y con hijos, algunas hasta con el osado lujo de un amante secreto.

Siempre se enamoraba del hombre equivocado. Cuando a su alma se asomaba un atisbo de esperanza, era común que el sujeto amado le confiara su amor por otra. Y esa otra, sin excepción, o resultaba siendo una íntima amiga suya, o una conocida a quien sólo recordaba por su pesadez de sangre.

A Violeta nadie la veía como proyecto de aventura, mucho menos como posible romance. Aún así, casi todos la consideraban la perfecta amiga y la confidente ideal: infalible si se trataba de buscar ayuda y primera opción cuando las necesidades fraternales apretaban el espíritu.

Era amable como la mayoría de las feas, pero su timidez apenas le permitía parecer simpática. Sus destellos de culta, exagerados por la ignorancia de su gente cercana, se consideraban, para el caso, más defecto que virtud.

Violeta Irungaray se veía como una mujer difícilmente apetecible para el mercado masculino a su alcance, de comprobada vocación por rubias apoteósicas de cuerpo dibujado, o morenas voluptuosas con el trópico a flor de sexo. Muchos ya la declaraban solterona por suficiencia y le pronosticaban esa cruel variante de la virginidad que ni siquiera de favor llega a perderse.

Por tales antecedentes, sumados a sus muy conocidas maromas para sazonarse la vida, nadie se sorprendió con el anuncio de su repentino viaje a Europa: si no tenía amor -ese amor de besos apasionados, de tarjetas cada mes y de caricias furtivas bajo la falda-, ¿cómo acusarla de buscarle sentido a la respiración, aunque fuera con efectos especiales? Y conocer el *Viejo Mundo* había sido su sueño desde niña. En particular Italia. Y Florencia sobre cualquier otra ciudad, por su romántico *Ponte Vecchio* y la espléndida lista de obras famosas en sus plazas y museos.

Enternecía oírla hablar del viaje. Sus amigos la entusiasmaban con la posibilidad de que en la tierra del Dante, un galán iba a aparecérsele en alguna calle para invitarla a montar un Pegaso hacia el infinito. Violeta no emitía comentario. Aquello, según sus palabras, era «lo que menos importaba». Pero nadie le creía. Y aunque todos deseaban para ella por lo menos un efímero encuentro amoroso, pocos vislumbraban que a la fea del grupo realmente se le hiciera un milagro de tal magnitud.

2

Arreglar el viaje le tomó dos semanas, entre las vueltas del pasaporte y los trámites de rigor. Compró su boleto de avión al lujoso contado, en una agencia cercana a su oficina. Allí se encontró, mientras esperaba turno, con una historieta en una vieja *Selecciones* en la que leyó una frase varias veces oída de su madre: "Siempre hay un roto para un descosido". Y pese a que de labios para afuera su intención de cruzar el Atlántico apuntaba hacia «la maravillosa y enriquecedora experiencia de ir por fin a Europa», íntimamente, Violeta albergaba la remota esperanza de encontrar durante el peregrinaje a ese "roto" esquivo y negado, al cual, según el refrán popular, tenía harto derecho por ser una "descosida" rotunda y comprobada.

Salió de la agencia, boleto en mano, con esa determinación entre ceja y ceja: Europa no sólo iba a ser la máxima aventura de su vida, sino el viraje definitivo hacia el territorio de los sueños cumplidos. Si otras lo habían logrado, por qué no ella. Y como era una supersticiosa sin remedio, el mensaje de *Selecciones* le había sentado muy bien a las elucubraciones de amuleto que a diario mantenía en la cabeza.

Violeta contaba los minutos para abordar el avión: su valija estaba lista y cerrada una semana antes del día de partida.

3

Llegó al aeropuerto de Roma, una tarde de julio marcada por un calor despiadado y húmedo. El viaje había empezado con varios buenos augurios, razón por la que se prometió respetar cuanta corazonada se le cruzara por los pasos. Y dado que al subir al primer taxi se encontró por casualidad con un piloto florentino, una obsesión instantánea se apoderó de sus sentidos y la incitó a iniciar su recorrido precisamente en la ciudad de Miguel Ángel, aunque aquello implicara algunos cambios de itinerario.

Parecía una nimiedad, pero acostumbrada a que le leyeran las cartas una vez por mes, a seguir los horóscopos de todos los diarios al pie de la letra y a interpretar mágicamente cada mensaje del destino, lo del taxista fue casi una revelación. Pasó la noche en un hotelito cercano al monumento a *Vittorio Emanuele*, cuya ventana daba a la *Plaza Venecia*; por recomendación del cajero que la atendió al registrarse, no se atrevió a salir en busca de la *Fontana di Trevi*, pues pululaba mucho árabe por los alrededores y, según le dijeron, era peligroso. A la mañana siguiente tomó el primer tren hacia Florencia, pero antes, por quedarle en el camino, llenó sus ojos con una vista lateral del *Coliseo*, desde una baranda llena de *graffiti* donde se detuvo a desafiar el penetrante sol del verano.

Consciente de que al final del periplo podía hacer una visita formal a la capital del legendario imperio, apresuró el paso hacia la estación y no se detuvo más. La urgencia de pisar la ciudad clave del Renacimiento la había obligado a variar sus planes. Y todo por ese cosquilleo interior iniciado en el taxi. Un cosquilleo que la asediaba con imágenes de Florencia en las que se veía en el umbral de un paraíso, rodeada por dos brazos fuertes y tiernos que, al apretarla, le revolvían el pulso entre las piernas y el gusto de vivir por las entrañas.

Las tres horas de trayecto la sorprendieron con ocasionales pero muy claras muestras de agitación, evidentes en una taquicardia rara que la llevó a meditar sobre sus imprevisiones de aventurera principiante. «Fue una estupidez no comprar seguro», pensó en voz alta. Pero tampoco se complicó demasiado. Total, si se enfermaba, para eso existían los hospitales del Estado, o bien la caridad pública.

Bajó del vagón de primera clase con su mochila a cuestas y un enorme mapa en las manos. Se orientó fácilmente hacia el extremo sur de la ciudad, donde el hostal Santa Monaca la esperaba con una larga fila de jóvenes que, como ella, buscaban conseguir lugar allí. La idea de dormir en un cuarto comunal con japonesas, chilenas y gringas no le pareció muy atractiva, pero el precio del albergue juvenil compensaba con creces las previsibles molestias que aquello implicaba para su mesoamericana y pequeño burguesa costumbre de privacidad.

Su ilusión de atravesar el *Ponte Vecchio*, aunque cumplida de prisa camino al hostal, se cristalizó completa y maravillosa al recorrerlo de regreso, ya sin bultos encima y con su flamante Canon *autofocus* al cuello.

Afuera del Baptisterio dispuso de las veinticuatro instantáneas que llevaba para todo el día y, como siempre, se lamentó de no tener con quien compartir tanto prodigio. Frente a la Catedral, justo al lado del campanario de Giotto, se admiró del propio coraje por haberse arriesgado a cruzar sola un océano tan enorme. Pero sus ojos se llenaron de lágrimas cuando vio cómo dos enamorados se besaban y se mimaban a la entrada de un callejón de balcones simétricos, mientras un bullicioso arlequín hacía gracias y piruetas al otro lado de la calle.

Violeta siguió su recorrido sin rumbo fijo. Las imágenes iniciales que leyó de aquel milagro de ciudad hicieron desfilar ante sus ojos atónitos vitrinas decoradas con un gusto casi escenográfico, *trattorias* que despedían su encantador aroma *gourmet* y personajes variopintos procedentes de la más teatral extravagancia. Consultaba el mapa turístico y no se decidía adonde ir. Comparaba las fotos con la realidad y se pellizcaba los cinco nudillos para creerlo. Pero a un costado de la *Plaza de la Señoría*, una reproducción de su escultura favorita la hizo decidirse a cumplir otro de sus grandes deseos, acarreado en su interior desde la adolescencia: visitar la *Galería de la Academia* y conocer, en vivo y a todo Carrara, el *David* de Miguel Ángel.

La fila para ingresar al museo fue un tanto más prolongada que la del hostal; el sol se dejaba caer en su implacable versión de mediodía y, a lo lejos, un bebedero público le recordó lo seca que tenía la boca. Sin embargo, el miedo a perder su turno la detuvo en su impulso de caminar hasta el estanquillo de la esquina y comprarse una refrescante botella de agua.

Las diez mil liras de entrada le parecieron un poco caras, pero igual las pagó con gusto. Muy consecuente con su ansiedad, evadió las salas de arte religioso previas a la gran escultura, y sólo se detuvo un instante en el pabellón anterior, donde los seis cautivos -del mismo Miguel Ángel- le hacen valla de presentación al mítico vencedor de Goliat. Allí, su corazón empezó con la taquicardia rara del tren y sus manos a sudar frío. Pero los nervios se le aplacaron de golpe cuando se halló, frente a frente, con el célebre y soberbio *David*. Verlo fue una revelación inmediata; era mejor de lo imaginado y acercarse a él la contagiaba de un aire de familiaridad casi genética, que se confundía con su estupor. Recorrió con esmero meticuloso cada centímetro de la perfección anatómica esculpida casi cinco siglos atrás. Pasó varios minutos estudiándola desde cuanto ángulo le fue posible, hasta que un desdoblamiento inconsciente terminó por envolverla. Había perdido la conexión con el mundo real; el alma se le desprendía del cuerpo con la desaliñada voluntad de un ave marítima.

Empezó a volar pegada al suelo y acarició a plenitud el cuerpo del *David* con delicados besos de alas. Su erotismo acumulado se desbordó a borbotones por el mármol fornido y masculino de la estatua. Cuando volvió en sí, se vio por un segundo sola junto a él. Pero los turistas que fotografiaban la obra, con el jolgorio barato del alma de *souvenir*, le devolvieron de inmediato los pies a la tierra. Hacía casi una hora que estaba allí. Por primera vez en mucho tiempo, Violeta sintió que vivir valía la pena. Repentinamente, de regreso en la abstracción anterior, se percató de un aura rara que emergía poco a poco del torso perfecto del *David*. No se alteró. La efigie marmórea resultaba tan impactante que podía esperarse todo. Llegó a creer que la genialidad de Bounarotti había sido capaz de otorgar vidas efímeras a su insigne hijo de mármol. Mas no era así: la sensación era sólo de ella. El resto de visitantes, entre los que destacaba un grupo de mexicanos con un guía muy ruidoso, no reparaba en el portento. Minutos después de percibir una mirada pícara de la escultura, que más pareció una escena de ciencia ficción llevada a la realidad, Violeta vio con agradable horror cómo al *David* se le evidenciaba una erección espléndida y subyugante, de esas que cuando toman forma pueden acompañarse de los triunfales compases iniciales del *Also sprach Zarathustra*. Para ella, los obeliscos de Washington y de Buenos Aires, o la firmeza del emblemático mástil del *Empire State*, eran babucha ante semejante maravilla. El sexo erecto y en pie de guerra del *David* se imponía a escasos metros de sus manos, a escasos metros de su boca, a escasos metros de su cuerpo entero y dispuesto.

Especialista con honores en la masturbación, sintió aproximarse un orgasmo hacia su bajo vientre. El cosquilleo, acompañado de un gemido involuntario, era inconfundible. Aquello la asustó y la sacó abruptamente del encanto. Y con toda razón: Violeta intuía los escándalos de los que podía ser capaz si su cuerpo le respondía con su mejor dádiva. Por eso decidió huir del lugar, no sin antes extasiarse por última vez con el arma cargada de aquel hombre colosal y apuesto, al que debía la primera experiencia erótica de su vida. La primera real.

En la calle, un atontamiento lúcido la atrapó; la dimensión de sus sentidos era otra. Violeta no opuso resistencia y se dejó llevar. Caminó desaforadamente por varios minutos, hasta dar con una escalinata desierta. Desde allí presenció una competencia de remo en las aguas del Arno, cuya algarabía no la distrajo de su encanto. Estaba jadeante y con la ropa interior empapada. Sólo por el desenfado de quienes caminaban por los alrededores, no sintió vergüenza de su humedad entrepiernal.

Dejó caer la tarde en un café cercano al Baptisterio, donde se tomó doce capuchinos recordando la inverosímil erección del *David*. Imaginó su cuerpo desnudo junto al de él, al pie de un lecho renacentista en pleno júbilo amatorio. Se vio revolviendo una sábana blanca a su lado, en la que al consumar la marejada de pieles, las caricias quedaban impresas como en un lienzo de Rafael Sanzio. Luego fue a cenar a una *trattoria* escondida cercana al Palacio Medici y volvió al hostal antes de las once, pues a esa hora lo cerraban.

Durmió bien. Ella, que tanto padecía de insomnio, no preciso ni de diez segundos para entrar en el quinto sueño. Al otro día, la efusividad matinal de un grupo de australianas la sacó de sus veredas oníricas. Despertó sintiéndose otra. Se dio una ducha en el baño común y puso cara de desparpajo frente a un par de insinuaciones de una francesa. Aunque se vistió de prisa con la idea de aprovechar su tiempo al máximo, se arregló el pelo con un poco más de cuidado y, por primera vez en el viaje, lamentó no llevar consigo algunos artilugios de maquillaje. Por un inexplicable mecanismo de su mente, se había programado para no pensar en los sucesos de la jornada anterior, pero a cada instante, su memoria relampagueaba con la escena cumbre del milagro.

Desayunó dos jugos de durazno y un pan con jamón a la orilla del río, y trató de encarar su segundo día en Florencia respetando sus planes originales. Pero ni las galerías Uffizi ni el Palacio Pitti llegaron a registrar su presencia.

Esta vez, con un jugo de frutas en el bolso, Violeta hizo de nuevo su fila en *La Academia*, pagó las onerosas diez mil liras para entrar y buscó sin intermedios la sala del *David*. Lo encontró intacto y a sus anchas. A paso lento, como quien ya sabe qué terreno va a pisar, se le acercó; su vista no pudo evadir la virilidad expuesta. Estaba claro que quería cerciorarse si lo vivido había sido una alucinación. Cualquier cosa menos quedarse con la duda. Y el *David*, con ojos cautivantes y cómplices, no tardó en patentizarle su simpatía por el regreso. Cuando Violeta se le acercó, la erección se repitió con la misma sensualidad del día anterior, a lo que se añadió una mirada seductora y el infaltable guiño de ojo que, cual rayo, fue a dar a su pubis regocijante.

Lo siguiente de lo que se dio cuenta Violeta fue de un grupo de venezolanos que la veía con indignación por sus gemidos placenteros. Sin poder controlarlo, había tenido el primer orgasmo automático de su vida. Que masturbación ni que mármol: ella había hecho el amor con el *David* por ósmosis erótica. Violeta se quedó en Florencia los siguientes quince días.

4

Pasaba todo el día junto a él. Los guardias de *La Academia* ya empezaban a verla con desconfianza. De su itinerario original se borraron las caminatas rocambolescas por París, la cervecería ruidosa de Munich, la góndola romántica en Venecia y la torre inclinada en Pisa. Tampoco hubo visita formal a Roma, porque de la estación de tren se fue directa al aeropuerto a tomar su avión de retorno.

Violeta había variado su aspecto de una manera sutil pero notable: la dieta a orgasmos de mármol la hizo perder algunas libras y le estiró algunas facciones, contraídas por su virginidad a la fuerza. Sus amigos se lo comentaron al sólo verla, y no faltó alguno insinuando que luego de la vuelta por Europa, «la Violetía ya no espantaba tanto y hasta convidaba a un par de tiritos al marco».

Ella fue la que menos se percató del cambio, y a partir de su vuelta a la rutina, los días empezaron a parecerle cada vez más largos e insípidos. Su única obsesión era regresar a Florencia. Qué importaba sostener relaciones con una escultura y fabricarse el éxtasis mediante ocultismos corporales. Aquel *David* de Miguel Ángel le había cambiado la vida. Ahora, a pesar de sus frustraciones de antaño, se veía en el espejo con euforia y deseos de vivir. Era preciso volver pronto a *La Academia* y repetir la maravilla.

La imagen del *David* la acompañaba a todas horas, y los siete meses que siguieron no pensó en otra cosa. Ni que dudarlo: se había enamorado de verdad, como nunca antes. Por lo pronto, ya estaba ahorrando para un nuevo boleto transatlántico.

5

La noche que aceptó asistir a aquella fiesta, lo hizo con la secreta intención de celebrar la cifra clave: privándose de cosas superfluas y dejando de fumar, Violeta había juntado los novecientos treinta dólares del pasaje a Italia.

Antes de salir revisó su libreta de ahorros para comprobar su saldo. No le faltaba un centavo; a la primera oportunidad, el viaje iba a ser un hecho.

El ambiente de la reunión la sorprendió por un aire peculiar que colindaba con la magia. Violeta lo percibió al entrar, y su sorpresa aumentó cuando un cosquilleo similar al sentido meses atrás en la estación de Florencia se apoderó de sus sensaciones; a ello se agregó que uno de los meseros -muy parecido al taxista de Roma que la hizo cambiar su itinerario de viaje- le ofreciera «un Chianti traído directamente de los viñedos del amor».

Pero las casualidades no se quedaron en eso. Cuando una de sus amigas más antipáticas le presentó a aquel visitante italiano, en cuyo honor se celebraba la fiesta, Violeta lo reconoció de inmediato, pese a no haberlo visto antes. Al oír el nombre del sujeto, su corazón aceleró su ritmo. «Me llamo David Doninelli», le dijo. «Soy florentino y vivo al otro lado del Arno; muy cerca del hostal Santa Monaca».

El cantadito era inconfundible: parecía un tiramisú hablando. O tal vez no: más bien era un Adriático parlante o una voz en forma de bota.

El flechazo mutuo fue instantáneo. Conversaron durante toda la fiesta y se convirtieron en el centro de atracción del resto de invitados. En particular de la amiga antipática que, sin buscarlo, había propiciado su encuentro.

A nadie extrañó más tarde que Violeta se ofreciera a llevarlo de regreso a su hotel, y que David aceptara la gentileza en tono casi cómplice. Una burbuja invisible los envolvía como en una comarca encantada, hasta el punto de sugerir una levitación de almas no visible para el resto de mortales, y un retoque sobrenatural en el brillo de sus ojos.

Violeta se sentía gratamente completa con aquel hombre. Y aunque ella sólo hablaba español y él sólo italiano, ambos podían entenderse a la perfección. De ahí que al llegar al hotel no mediaran demasiadas palabras para convidarse a tomar una copa.

La noche no pudo ser más espléndida. Un candelero esquinado, cuyo reflejo transformaba el verde de la botella en miradas caleidoscópicas, alumbró las escenas de sus cuerpos desnudos y revolvió la misma sábana imaginada por Violeta en el café junto al Baptisterio, aquella tarde estival luego de conocer al *David* de Miguel Ángel. Y aunque el lienzo no quedó con sus caricias impresas sobre la cama, ambos cuerpos parecieron impregnarse el uno en el otro.

Violeta Irungaray, la mujer a quien la virginidad perseguía como escolta implacable, se había sacudido del conjuro más pesado de su vida: ya no era ni virgen ni sola; sus facciones se habían relajado más, y ahora, para asombro de cuantos la conocían, se había vuelto realmente atractiva.

6

El trato con David había sido muy claro: en dos semanas iban a encontrarse en Florencia. Violeta no cabía en sí; de ser la íngrima y la desamparada del grupo, pasó a ser la dichosa y a la que todos envidiaban. El amor se le veía por encima; su voz tenía ahora un tono resplandeciente y cada rasgo de su lenguaje corporal dibujaba siluetas frescas al andar. Las despedidas abundaron durante los últimos días de Violeta en Guatemala. Hasta tuvo que soportar un par de muestras de cólera; tanta felicidad caída tan de junto no le agradaba a los mezquinos de siempre.

La mañana de su partida hacia Italia recibió un cablegrama de David; Violeta lo releyó quinientas veces durante el vuelo, y otras quinientas más en el tren de Roma a Florencia. El mensaje era contundente: *Te ansío, te respiro, te preciso. Me da lo mismo morir que estar lejos de ti. Ven pronto. Ven ya. Mis manos, áridos desiertos antes de tu llegada, se han vuelto manantiales con el roce de tu delirio. Mis manos, esas que han esculpido el placer en tu cuerpo, te exigen a mi lado para no seguir secándose.*

7

Al entrar a *La Academia*, a Violeta le vino a la mente algo en lo que no había pensado: iba a encontrarse en un mismo sitio con David, el hombre, y con David, la estatua. Y como nunca se lo había planteado al de carne y hueso, aduciendo que la escultura y él eran el mismo, por un instante temió una incómoda escena de celos.

Llegó al pasillo de los *cautivos*, dos minutos antes de la hora pactada. Vio con ojos nerviosos al *David* de mármol y decidió acercársele para agradecerle la recién adquirida dicha, atribuida a él. En aquel momento, perdió el miedo y se sintió muy segura de sus pasos. Pero cuando la estatua le guiñó el ojo como en el primer viaje y la célebre erección se repitió, Violeta fue presa de un inexplicable pánico.

Sin embargo, la actitud del *David* no podía ser más amigable. Como en otras ocasiones, los turistas no se fijaban en lo sobrenatural del cuadro; las rutinas de los guías explicando y de las cámaras tomando fotos sin flash, no variaban a su alrededor. Ella, entre impaciente y alucinada, no pudo evitar humedecer su entrepierna y adentrarse otra vez en el proceso del orgasmo por ósmosis. Ahora pululaba más gente por la sala y el reloj marcaba las diez en punto, hora en que el David real supuestamente debía llegar.

Violeta estaba muy próxima al gemido cumbre del placer, cuando un ruido seco y sepulcral la expulsó abruptamente del prodigio: un loco furioso, muy parecido al que años atrás había atacado a *La Piedad* en El Vaticano, se lanzó martillo en mano sobre *El David*, y empezó a golpearlo con desenfreno. Las imágenes fueron vertiginosas y aterradoras; todo el mundo gritaba, pero en vez de detener al orate y proteger a la escultura, la mayoría se peleaba por recoger del suelo los trozos de mármol, tomándolos y escondiéndolos como quien guarda un *souvenir*, y no los pedazos de una irremplazable obra de arte. Pero lo que más impactaba a Violeta no era la superficialidad de los turistas, que en medio de la histeria habían estorbado la acción de los guardias, sino la espeluznante escena que sólo sus ojos eran capaces de ver. El pene erecto volando por los aires fue una feroz patada para sus entrañas. Aquel mismo pene erecto del *David* de mármol, que apenas segundos antes la había llevado al borde del éxtasis. El pene erecto que había sido víctima del primer martillazo, y que desapareció en el bullicio sin dejar rastro.

Al salir de *La Academia*, Violeta llevaba el corazón en la boca y la ropa empapada de sudor. No sólo por la pesadilla presenciada, sino por la que de seguro le aguardaba luego de rota la magia. Las sirenas aullaban con estridencia neurótica y el estupor de la gente se sentía en el oxígeno que apenas alcanzaba a respirarse.

Para entonces, Violeta ignoraba las desagradables sorpresas aún por llegar. Esas aterradoras sorpresas en aquel que, según ella, iba a ser el día más feliz de su vida.

A dos cuadras de *La Academia*, una multitud rodeaba a un hombre tirado en el suelo que sangraba profusamente y se retorcía de dolor. Violeta distinguió su tono de voz y supo de inmediato lo que había sucedido: era David, el de verdad, a quien otro loco furioso -o acaso el mismo victimario de la escultura- había capado en plena calle.

Los diarios del día siguiente registraron, en su primera plana, la foto de Violeta abrazando a David poco antes de llegar al hospital. La población entera de Florencia, y también del resto de Italia, quedó estupefacta con la noticia. Ni siquiera los daños al *David* de Miguel Ángel, reparables sin mayor dificultad según los restauradores, causaron tanta conmoción. Los diarios compararon el drama de Violeta y David con la vieja historia de Abelardo y Eloísa. Fue la castración más comentada de la década. No hubo hogar en Europa que no derramara alguna lágrima por ellos. Por primera vez, y sin que nadie pudiera explicárselo, las revistas de periodismo rosa y los tabloides sensacionalistas se portaron comedidos con un dolor ajeno.

8

    El apartamento de los Doninelli quedaba en una esquina de arquitectura muy sobria. Era un segundo piso. La gente lo había bautizado como *Amor del bueno* por sus implicaciones y su leyenda. Allí vivían Violeta y David, rodeados de óleos donados por pintores del lugar y de muebles antiguos adquiridos en un mercado de pulgas. Nadie entendía cómo ella, pese a la terrible carencia de él, podía quererlo tanto y ser tan feliz a su lado. La dicha la transpiraban ambos: cuando salían a caminar tomados de la mano, cuando compraban comida en la tienda cercana al hostal Santa Monaca, o cuando se besaban interminablemente, bañados por la brisa mañanera del río. Los dos proyectaban una luminiscencia de alma que muchos hubieran querido para sí. El amor de David hacia Violeta y de Violeta hacia David parecía un eterno idilio adolescente. Y aunque al principio se les tuvo más lástima que admiración, ambos se convirtieron en el nuevo símbolo de la ciudad, a partir del sorpresivo embarazo de Violeta. «Milagro de Dios», dijeron algunos. «Pobre *cornudo*», dijeron otros. Pero cuando años después se supo la verdad, nadie dudó en verlos como una aureola viviente surgida de un pasaje edénico.

    Un *voyeur* profesional, de los que espían todo y a todos, reveló al mundo el increíble portento de la pareja. Capado como estaba, David nunca hubiera podido engendrar una niña como la que ahora tenía. Al sólo verla, cualquiera podía atestiguar que era su hija, porque literalmente le había robado la cara. Y no sólo eso: también gestos, talentos y lunares.

A los pocos meses de vivir juntos, los Doninelli descubrieron que unas palomas torcaces picaban con amigable tono en el vidrio de su ventana, cada vez que se ocultaba el sol. Sin pensarlo mucho, empezaron a alimentarlas y a considerarlas parte de la casa.

Una tarde, cuando la lluvia arreciaba sobre Florencia y los vientos del sur azotaban las paredes con furia, una paloma se arrimó al cristal hacia la calle de su habitación y les pidió asilo urgente con el ya familiar golpeteo de su pico. David la vio a través del vidrio y la dejó entrar. Sin mediar acción ni palabra, Violeta reconoció en aquella paloma juguetona un sentimiento antes vivido, y humedeció su entrepierna como no lo hacía desde los trágicos sucesos ocurridos la mañana de la doble castración.

David, cual Adán incompleto, estaba desnudo. La paloma voló directa hacia su pubis y se le asentó en el sexo baldío con las alas calmas. Nunca más se fue de allí y, a partir de entonces, Violeta y su hombre se impregnan mutuamente las pieles, y pintan caricias con pasión renacentista en las sábanas más jubilosas jamás vistas. Ahora, junto a su hija, reciben en esa ventana palomas de paso y ven a lo lejos el *Ponte Vecchio*, el Arno y la galería de *La Academia*.

EL PISTOLÓN

Fue uno de los primeros prodigios que mi vida registró con plena conciencia. El negocio era una ferretería y se llamaba *El Pistolón*. Resultaba asombroso pasar por allí y que un vaquero pintado en la pared me siguiera con la mirada, como escrutando cada uno de mis pasos. Desde los días en que salía únicamente de la mano de mi *Mamía* –como le decía yo a mi nana-, siempre inventé pretextos para incluirlo en mi ruta. Si iba a comprar cuadernos a la librería donde hacían "sellos de hule", o a escoger estampas del álbum de moda en algún canasto del *Portal del Comercio*, bajar por la quinta calle era obligatorio para verlo.

Recuerdo con nostalgia la infinidad de ocasiones en que, junto con mi inseparable amigo Otaner, recorrimos una y otra vez la acera opuesta a la ferretería, tratando de descifrar el misterio de aquel portentoso pistolero del viejo oeste, en cuyo lustroso mural había nopales al fondo y una vegetación rudimentaria, propia de los sitios cercanos a las zonas desérticas.

Una creciente violencia política marcaba el paso de aquellos días, sin que nadie siquiera imaginara que, años después, los asesinatos iban a proliferar con plétora obscena. Las calles servían de escenario para una represión cada vez menos sutil; el miedo intoxicaba al aire con sombras taciturnas. Yo, adiestrado por la televisión para llenar mi cabeza de batmans, zorros y avispones verdes, apenas me percataba de esa tenebrosa realidad, cuya barbarie en ciernes acarreaba presagios malhadados por la burda manera cómo la sangre y la injusticia corrían por el país.

Los años finales de nuestra infancia tuvieron intensas jornadas de calle como puesta escenográfica. Habitábamos un mundo pequeñoburgués de clase media, parcialmente exento de aquellos vaivenes de agitación, pero no ajeno al mito revolucionario de los seres barbudos que, desde la montaña, anunciaban el fin del orden establecido y el desafío contra el opresivo sistema que reinaba.

Volvíamos una tarde de nuestra excursión semanal a *Autovía*, donde con Otaner compramos el 45´ de *Killer Queen*, cuando percibimos un ambiente cargado y peligroso a la altura del templo evangélico, justo en la entrada del Callejón Manchén. Oímos varias sirenas estridentes acercándose. Las radiopatrullas y los soldados rodeaban el área a ritmo de hormiguero. El corazón nos palpitaba en la boca y la boca nos temblaba en el corazón. Mi amigo y yo, temerosos pero curiosos, decidimos verificar lo que sucedía. En la esquina de la quinta y séptima, el cordón policial no dejaba pasar a nadie. Pero nosotros, por nuestra agilidad preadolescente, pudimos escabullirnos y así adentrarnos a la zona prohibida. Justo en la puerta de *El Pistolón* había caído uno de los mayores asesinos al servicio de un aparato paramilitar, al que se achacaba una serie de crímenes con lujo de saña.

Los periódicos publicaron al día siguiente la noticia, recogiendo distintas versiones del hecho. Ninguna concordaba con las demás. Era un absoluto misterio cómo ese hombre, rodeado siempre de tantos guardaespaldas, había sido tan fácilmente ultimado de un solo balazo.

Otaner y yo, en plena edad de frivolidades, empezábamos a familiarizarnos con dramas de ese tipo; más adelante, abundaron los asesinatos en la vía pública, las crueles masacres en poblados indígenas del interior y las desapariciones forzadas. En nuestras respectivas casas, la sola idea de que el país se volviera un satélite soviético era vista con horror. El papá de Otaner era un anticomunista confeso y activo; mi mamá, aunque menos recalcitrante, no le entusiasmaba nada la idea de un sistema totalitario, como el que, según me decía, imperaba en Cuba y en los países detrás de la "cortina de hierro".

Pasaron muchas cosas entre aquel tiempo y la noche en que estuve a punto de perder la vida: incontables ametrallamientos en las calles, un terremoto que destruyó tres cuartas partes del país, dos golpes de Estado, y unas elecciones en las que, increíblemente, no hubo militares disputando la presidencia en las instancias finales del proceso.

Mi empedernida vocación por las caminatas no varió; lo que sí iba cambiando era el paisaje y la atmósfera del Centro Histórico. La epidemia delictiva se fue instituyendo de manera galopante con sus secuelas nefastas. La carnicería despiadada del conflicto armado había cedido espacio a un hampa de mafias en formación, que igual mataba sin disimulo y abría espacios a una progresiva violencia callejera.

La época democrática empezaba a asomar su perfil, entre escándalos de corrupción y tímidos bosquejos de tolerancia. La pesadilla, aunque vigente, atisbaba en las rendijas de su tenebrosa ergástula algún indicio de esperanza. Ahora sabíamos que asesinos había de los dos lados del espectro bélico, y que muchos "hombres de bien", saludando con la mano de la ecuanimidad y despotricando contra el ejército desde las cámaras empresariales, habían sido entusiastas patrocinadores de la matanza. Asimismo, que infinidad de ex camaradas con planta progresista, en realidad eran grandes conservadores que le quemaban incienso a su muy particular *status quo*, a la espera de cualquier ocasión para volverse parias de la cooperación internacional, o bien de los botines que la guerra sucia dejaba en secuestros y extorsiones. Y claro, como inmenso telón de fondo, los militares de siempre aferrándose a sus privilegios y asociándose con diligencia al crimen organizado, muchas veces ultimando de manera inmisericorde a cuanto sujeto pudiera sugerir, por tímidamente que fuera, la posibilidad de ser un estorbo a su rentable consigna de que la amenaza guerrillera no seguía poniendo en peligro los derechos individuales de los guatemaltecos.

Todo aquello apestaba, pero muy pocos asumían la autocrítica. Para entonces, yo frecuentaba una de las universidades privadas y no entendía a cabalidad los procesos a los que el país se sometía, a tragos y a rempujones. Pero la intuición me decía que los tiempos no daban como para creer, a pie juntillas, en nada ni en nadie. Que las utopías, por estimulantes que fueran, habían sido derrotadas por el despreciable consumismo, y también por la implacable necesidad de sobrevivir, impuesta por una economía cada vez más errática y desigual.

Al filo de una madrugada de aires helados e impetuosos, iba yo rumbo a mi casa subiendo por la quinta calle. En mi mente de adulto había pasado a segundo plano el prodigio del vaquero que me seguía con sus ojos. Ya no me asombraba su fija y movible mirada persiguiendo mis pasos. El susto fue mayúsculo: surgidos de la penumbra, tres ladrones que hacían tosco alarde de armas blancas me detuvieron con derroche de intimidaciones e insultos. Uno de ellos me empujó contra la pared y empezó a buscar mi billetera, hurgando con agresividad en mi pantalón. El miedo no me permitió reaccionar; la rigidez del pavor me dejó estupefacto. En diez segundos traté de reconciliarme con la vida y comencé a prepararme para un final atroz. El maleante, al no hallar nada en mis bolsillos, ordenó al más fornido de sus compañeros que me liquidara.

-Te vas a morir por inútil, me dijo.

-Quién te manda a salir sin dinero, amenazó otro. Horrorizado, lo vi levantar el puñal con un encono enfermo; en segundos que me parecieron eternos, percibí el macabro resplandor sobre el lúgubre lienzo nocturno.

Estaba listo para morir. A mi mente vino la morena espléndida de ojos tristes a quien nunca me había declarado, y la presumible imagen de mi madre sollozando en mi funeral. Cerré los ojos y dibujé con la expresión un rictus resignado. Pero centímetros antes de que me incrustaran el estilete asesino, sonó un disparo. Uno solo. Seco. Rotundo. Exacto. El eco de la pólvora se disipó en una cámara lenta de cuadros difusos.

El ladrón cayó a mis pies; su mirada inerte contrastaba con la tímida luna de aquella hora fatídica. Los otros, despavoridos, se echaron a correr hacia la octava avenida, más asustados que yo.

No había tiempo para pensarlo: tras un parpadeo de vértigos recuperé el aliento y en una carrera desesperada llegué hasta mi casa de cuatro zancadas. Me había librado de una muerte segura; hasta recé dos rosarios seguidos, yo que odiaba esos rituales de vieja iglesiera.

Nunca me creyeron la historia. Ni Batman, ni el Zorro, ni el Avispón Verde podían haberme servido mejor de ángel de la guarda. Y por la vehemencia con que insistí en que la anécdota era real, no faltó quien dijera que las drogas habían hecho estragos en mi cerebro, o que de tanto leer novelas de realismo mágico me había vuelto mitómano.

De más está explicar la enorme tristeza sentida por mí años más tarde, cuando vi derruida la sede de *El Pistolón*, con rótulos de "Se vende" en los vestigios agrietados de una ventana sin rejas. El certero revólver de aquel mural con nopales al fondo, rodeados de vegetación desértica, había perecido víctima de la mala administración.

Pero Otaner, como lo hace siempre, se ocupó de juntar las piezas del rompecabezas con su cruda retórica de elaborada franqueza: de manera involuntaria y casual, había asistido a la demolición de la mágica pared, hogar del hombre pintado que nos seguía con la mirada cuando de niños pasábamos por esa calle. Según me dijo, el vaquero se le quedó viendo fijamente antes de sufrir el primer golpe de almádena, y le guiñó dos veces el ojo en una cómplice señal de adiós. Un disparo al aire disipó su lento eco en una secuencia de cuadros borrosos, que le pasaron a Otaner la película entera de su infancia, en un cortometraje del cual sólo un episodio le estrujó el corazón: la muerte de su mamá, antes de cumplir los diez años, con ese dolor que ni con el paso inexorable del tiempo había logrado superar. Ahora, sólo él y yo compartimos el milagro: igual como años atrás terminó con el infame asesino paramilitar, *el Pistolón* me había salvado la vida la noche del asalto.

A Renato Díaz

OH BY THE WAY, WHICH ONE'S PINK?

Es un sábado de 1975. Carlos Eduardo compra un disco en *Musical* de la trece calle y busca sin demora la parada de autobús para llegar cuanto antes a su casa. Está ansioso por oír lo que ese acetato misterioso guarda en su redondez de surcos. Camina raudo. Dentro de sí, una prisa emocionante le altera la adrenalina y esboza en sus sentidos un júbilo gitano.

Ve que no hay señas de la 7 que recorre la novena avenida y decide subir hasta la quinta. Ya allí, espera la 1 que va hacia el Hipódromo, pero antes pasa una BC; aunque no le gusta esa línea porque va siempre más llena, decide abordarla vencido por la impaciencia. Por suerte hay lugar hasta al fondo, cerca de la puerta de salida. Va y se sienta. Un borracho con estocada de aguardiente barata comparte espacio con él y le pide dinero. Decide no hacerle caso, fingiendo un ensimismamiento; al ignorarlo, el borracho lo deja en paz.

Saca el disco de la bolsa y observa cada detalle de la carátula. En el dorso, para su satisfacción, pueden leerse las letras y buena parte de los datos imprescindibles: quién toca qué instrumento y quién compuso tal y cual canción. Ello, pese a que falsea la contraportada original, le agrada y le sorprende, pues se trata de un "producto centroamericano hecho en Costa Rica", y sólo los discos americanos incluyen semejantes lujos en sus empaques interiores.

Se baja cerca del parque Isabel la Católica, a dos cuadras de donde vive, y no repara en la apabullante plenitud de esa luna llena, cuyo resplandor callado adorna la silueta del Cerrito del Carmen.

Abre la puerta con su recién adquirido llavín, y va directo hacia la sala a aposentarse frente a la vieja *Motorola*, la cual abre como si fuera un cofre de maravillas; en su tocadiscos encuentra un 45' de Elton John –*Island girl*, para ser exactos- y lo desaloja con una premura cuidadosa. Un cortaplumas le sirve para rasgar el plástico de la envoltura, luego de que la carencia de uñas había hecho infructuosos los intentos en el autobús. Extrae el disco de la funda en una ceremonia de primor nervioso. No todo podía ser perfecto: el diseño deja mucho que desear, con ese verde degradado y las traducciones al español de los títulos de las canciones que abaratan la presentación.

«Por qué no los harán como los americanos. Es cierto que valen sólo cinco quetzales, pero por cuatro que es la diferencia, bien podrían mejorar de calidad. Todo lo hecho en Centroamérica no sirve. Qué no diera yo por vivir en los Estados».

El disco arranca sus vueltas en treinta y tres, y el bracito del aparato inicia su rutina de tronidos antes a caer sobre los surcos negros donde la música aguarda. Carlos Eduardo se relaja en un sillón y se entrega a los placeres auditivos. «Que guitarrona de entrada. En la *Circus* escribieron que, otra vez, habían grabado un álbum conceptual. Pink Floyd es lo mejor de los años setenta. Ni Jethro Tull, ni Queen, ni Yes llegan a ser tan buenos. Tampoco Led Zeppelin o Genesis. Menos King Crimson o Emerson, Lake & Palmer. No se me olvida el *Dark side of the moon;* se tardaron dos años en grabarlo. Este nuevo dicen que no es tan bueno, pero quién sabe. Debe de ser *jevi* ir a un concierto de Pink Floyd. Lástima que aquí nunca van a venir. A Guatemala no traen nada bueno; sólo para los cuadrados hay algo de vez en cuando. ¿Por qué no habré nacido en Inglaterra?»

Ha oído ambos lados del disco y, de entrada, no le ha impresionado mucho. «Ya me gustará. Siempre sucede con estos grupos: al principio suenan terrible y a los dos días uno está boquiabierto. Todo lo contrario con la música del radio. Esa le gusta a cualquiera. Los de mi clase oyen a Chicago y a los Osmonds. Para mí eso es basura. Yo ando en el verdadero musicón de este tiempo. Si supieran los otros de lo que se pierden».

Carlos Eduardo atiende una llamada de José Luis, su mejor amigo. Le cuenta que ya tiene el disco. Es *Wish you were here*, vos. Lo compré en *Musical*. Venite a la casa. / No puedo; no me dejan salir tan tarde. Ya son como las ocho. /En la revista gringa que me prestaste dice que los de *Pink Floyd* pertenecían al partido laborista, ¿sabés qué es eso? Suena a comanche, vos. /No creo. / También decía que el mero líder se peló en un viaje de ácidos y que ya no volvió. Se llamaba Syd Barrett o algo así. /El que más compone ahora es Waters. Después Gilmour y Wright. Mason es el de la batería. / Se deben dar una vidaza esos músicos de rock. Les abundan las chavas, viajan, los aplauden y, sobre todo, crean un rollo bien grueso. Dichosos. /

Carlos Eduardo cuelga y regresa a la sala. Al entrar, el *blues* que emite la radiola lo pone a alucinar en estéreo, por lo que apenas percibe el agresivo titilar de la luz, cuya danza intermitente recuerda aquellas noches de tormenta a la orilla del mar, cuando la electricidad jadea por obra y gracia de las tempestades. De pronto, ya sin amagos, la luz se interrumpe por completo. Pero el apagón trae consigo un halo extraño, porque pareciera afectar solamente esa habitación. Más aun cuando la radiola se enciende sola y un cenital ilumina el mismo sillón donde él, minutos antes, se había sentado a escuchar el disco.

Carlos Eduardo está temblando del miedo. El humo de un cigarro se evidencia, al tiempo que un olor a angustia impone una niebla artificial en el ambiente. Sentado en el sillón, encuentra a un hombre viendo hacia la pared.

Por no haber nadie más en casa, Carlos Eduardo palidece y no atina a reaccionar. Algo, sin embargo, lo atrae inevitablemente hacia el extraño. Camina casi sin voluntad y se le acerca. Al verlo con atención, descubre que su cara le es familiar; apostaría a que lo ha visto antes. Su aspecto va delatando poco a poco los acordes de una mirada que más que ver, oye. Frente a él está Roger Waters. «No puede ser cierto; debo de estar soñando. Waters en mi sala. Y eso que nunca he fumado mariguana. No lo puedo creer. El bajista de *Pink Floyd* en mi casa. El compositor de *Money*. El sucesor de Barrett. No puede ser».

Claro: no puede ser. Pero es. Frente a sus ojos está Waters con su aspecto hosco y misántropo. Si Carlos Eduardo no sale huyendo presa del terror, es sólo porque la energía de la aparición lo intimida y lo seduce.

Waters lo observa y, sin mediar palabra, empieza a romper todo cuanto hay en la sala. Lo violento de la escena alcanza un tinte cinematográfico. Carlos Eduardo la ve estupefacto y ni siquiera se atreve a gritar. Después, el insólito visitante le habla como si nada. Lo hace en un español perfecto aunque esquemático. El disco suena al fondo; la canción se llama *Have a cigar*. Tú crees que ser un rockero famoso lo lleva a uno a le felicidad. /Por supuesto que lo creo. /Pues no. No es tan simple. Yo, por ejemplo, soy un desgraciado. Mi padre murió en la guerra. Tuve una madre castrante. Me llevo mal con mi esposa; de hecho, ella se revuelca con su profesor de filosofía. Detesto ver a miles de adolescentes en histeria colectiva, adorándome como si yo fuera un dios. Me frustra y me deprime que mi trabajo se vuelva un enajenador de masas. Como el nazismo. Pero sus letras son muy buenas; casi todas las de Pink Floyd las firma usted. / No importa. Igual no sirven de nada. Odio las giras. Me drogo sin cesar. /Ustedes eran del partido laborista, ¿no? ¿Qué significa eso?/ Es ser de izquierdas en Inglaterra. /Bien me lo dijo José Luis. / Nuestros discos son buenos, pero no me satisfacen. Estoy harto de la vida. / Según yo, ustedes eran el súmmum de la felicidad. / Te equivocas. /En la revista decía que se llevan muy bien los cuatro. / Mentira. Me cae mal que los demás del grupo compartan los créditos en partes iguales, cuando son mis canciones las que hacen de Pink Floyd lo que es. ¿Ya has oído *Have a cigar*? Ahí yo lanzo la pregunta: *Oh by the way, which one's Pink*? Eso significa: *y a propósito, ¿cuál es Pink*? /Y ¿quién es Pink? /Pink no es nadie. Es una marca que da dinero, nada más. /Mis amigos y yo pensamos que es el mejor grupo de los setenta. / ¿A quién le importa tal cosa?/ A millones como nosotros. / ¿Y qué con eso? /Los admiramos. Tocamos guitarras en el aire con cada solo. Mucho de nuestras vidas se inspira en ustedes. /Se nota que no se han dado cuenta de que el mundo está lleno de animales. De perros traidores. De cerdos políticos. De ovejas embrutecidas e inconscientes. Debo escribir una obra que rompa todos los esquemas y agreda con brutalidad este altar ficticio en el que nos han encumbrado. Quiero mostrar el muro que nos ponen de barrera a los humanos para reprimirnos. Ese muro que nos obligan inútilmente a saltar, aunque al caer nos hiramos el alma y nos desplomemos emocionalmente. *Pink* no es nadie. *Pink* es una mentira. De seguro terminaré escupiendo a las audiencias, porque me da asco hacer lo que hago. El rock se ha vuelto otra manera de religión. Una religión muy fascistoide, por cierto. /

La niebla artificial cesa de súbito y el músico se va empequeñeciendo en un mareo surreal que lo desinfla de la realidad. No es una escena de ciencia-ficción, sino una pesadilla delirante que deja un leve rastro de náusea. Asimismo, un mobiliario devastado que el adolescente no sabe cómo explicará.

Carlos Eduardo sube la palanquita de la *Motorola* con el índice izquierdo y repite *Have a cigar*. Quiere oír la línea de la que Waters le ha hablado. Su confusión no le permite analizar nada; las revelaciones pasan frente a él a mil por hora. Al darse la vuelta, ve los jarrones intactos, los cuadros en su sitio y los adornos donde siempre. Un pañuelo rojo, como el de la portada del disco, es lo único que queda sobre el sillón. Carlos Eduardo lo recoge y lo extiende. La sala recobra fugazmente la niebla artificial que acompañó la inexplicable aparición, pero esta vez con efectos escenográficos del hielo seco que usan las bandas de rock en sus conciertos. Es un ataque repentino de normalidad. Al fondo, *Have a cigar* a todo volumen.

«¿Qué querrá decir con fascistoide? Me suena a Hitler». El teléfono se oye a lo lejos. Corre a contestarlo y es José Luis. Voy para allá; mi hermano me lleva si le prestás tu *Mastermind*. /No vengan. / ¿Por qué?/ El tal Pink me tiene confundido. / ¿Qué *Pink*?/ El del grupo, hombre. / ¿Y vos sabes quién es *Pink*, pues? /Ahora ya. /De seguro lo leíste en el disco. ¿O fue en la revista?/ No. Es algo más profundo. Pienso que no debiéramos ver a las estrellas de rock como perfectos. /Pero si la pasan tan bien. /Yo ya no lo creo. /Te estás volviendo viejo. /No es viejo, es que, es que, no sé. Mejor te lo cuento mañana. / Va pues. Hay te llevo tus discos de Ekseption y el libro ese de Sábato que me prestaste. / ¿Te gustó? /Sí, está bueno. /Me podés traer el *Dark side of the moon* también. /No lo he grabado todavía, pero te lo llevo. /Yo no podré oírlo igual a partir de ahora. Sobre todo sabiendo que van a hacer un álbum dentro de unos años que se va a tratar acerca de un muro. / Hoy como que andás de adivino. /Pero sólo con *Pink Floyd*. /Y a propósito, ¿cuál de todos es Pink? ¿Podés explicarme eso? Nunca me había puesto a pensar en que uno de los cuatro podía ser *Pink Floyd*. ¿Por qué no habremos nacido en los Estados, vos Carlos Eduardo? Aquí vivimos en la luna. O, por lo menos, en el lado oscuro. A ver decime: ¿Quién es el tal Pink? ¿Quien es de los cuatro? Yo quisiera ser uno de ellos. Deben de ser felices. Dichosos ellos. Quien fuera ellos.

Se acabó *Have a cigar*. Ahora viene la segunda del lado dos que es *Wish you were here*. Ya me gustó el disco. Ya me lo sé de memoria. Vuelvo a poner *Have a cigar*. Una y otra vez. Pero Waters no regresa; sólo las cenizas de su cigarro siguen agazapadas en la mesa. Esa línea no me deja en paz. *Oh by the way, which one's Pink? Oh by the way, which one's Pink? Oh by the way, which one's Pink?* Y eso que nunca he fumado mariguana.

A Martín Arévalo

LOS MUERTOS DEBEN MORIR

En este país, los muertos no sólo acarrean basura; también votan en las elecciones y a veces cobran sueldo. Aquí son útiles los muertos: por eso nunca descansan en paz.

- ¿Cómo piensa arreglar los disturbios, licenciado? Ya van dos manifestaciones esta semana.

- Vamos a calmarlos con la receta de siempre: unos buenos muertos. Revisá la lista y buscá un par de nombres queridos y conocidos que causen conmoción. Vas a ver cómo funciona. Dios bendiga al plomo... Y a nosotros también.

- Así sea, licenciado. Así sea.

Nadie puede escapar del aire fangoso que circula por las calles. Pesa demasiado. Iván Alberto lo sabe, aunque no lo asuma a plenitud. Es más fácil evadirse en los libros más oscuros de Böll, masturbarse tres veces al día y soñar con fortunas de cofre encantado. Huérfano de padre, su personalidad está regida por los hilos de la ideología materna, que hacen de él una castrada marioneta de los buenos modales: Iván Alberto tiene fama de "educado". Y aunque ansía protagonizar heroísmos de largometraje y ser el *superman* de sus propios zapatos, los jabones de moderación con que su madre le lava el cerebro le entibian las intenciones.

Lo han adiestrado para ser el perfecto mono sabio: ver, oír, callar. Si le hablan de política, su deber es rechazar tales influencias y alejarse lo antes posible de aquellas juntas. Según los principios aprendidos, los adoctrinadores son gente mala que busca vengar sus carencias con quienes, como Iván Alberto, «tienen sus cositas, aunque sea con esfuerzos». La consigna es evitar que el muchacho siga los pasos rebeldes de su padre, pues, en aquel país, las ovejas insurrectas del rebaño pagan la osadía con el precio más alto.

El silencio de los cementerios es un cese de sonidos con afluencias confabuladoras. Por lo menos en sitios donde la sangre ha corrido con una abundancia tan cruenta. Eso lo saben los muertos. Por ello, quieren volver a este mundo. No para espantar o volverse leyendas. No: hay algo más que eso. Un enigma no resuelto. Sangre sin secar. Sangre.

- ¿Me tenés alguna sugerencia?

- ¿Qué le parece el ingeniero Cazali?

- ¿El de la Universidad?

- El mismo. Es un hombre respetado y querido en su gremio.

- Me parece. ¿Quién más?

- Guillermo Aguilar.

- Ese es líder estudiantil.

- Y de los famosos.

- Empiecen a seguirlos. Los quiero enterrados dentro de tres días.

- Como usted diga, licenciado.

Iván Alberto necesita dinero. Esté de moda regalarle muñecos de peluche a las novias y sólo a él le han negado el dinero para comprarlo. Sufre presión de grupo. Su clase media social riñe a menudo con la media alta económica en que lo obligan a moverse. De ahí que se atreva a desafiar con tanta decisión su dócil urbanidad. El escozor de quedar mal frente los demás lo impulsa. Y es mejor así: en pasos de ese tipo, más vale temprano que tarde.

- ¿Qué le pareció? Al carro le dimos como cuarenta balazos. Rematarlo fue un placer.

- ¿Cómo van con el otro?

- Dos de los muchachos están tras él.

- Y de la explosión en el parque, ¿qué me decís?

- Tenemos ya los lugares clave para colocar la dinamita. La ciudadanía va a odiar a la subversión cuando estalle el bombazo.

- El Presidente lo quiere para el jueves de la próxima semana. Es preciso amedrentar a esos revoltosos del Altiplano que andan visitando periódicos.

- Son una gran indiada, ¿verdad licenciado?

- ¿Una gran qué, dijiste?

- Uuuna gggran indiada...

- Cómo no el alemán. Con semejante cara de majunche no debieras hablar así, vos Adelso.

- Disculpe licenciado, pero ellos son indios de monte. Yo, por lo menos, soy de ciudad.

- Dejá de hablar tanta babosada y conseguime los insectos que te encargué para el deber de mi hija. Se los prometí para el martes.

- Mañana los tendrá, licenciado.

La gente entierra a sus muertos con un pesar erróneo: ¿acaso no son precisamente ellos quienes rebalsan la memoria con la nostálgica omnipresencia que adquieren al irse? Omitirlo de la bitácora es un error: los muertos también sueñan. En ocasiones llegan a manejar una insondable dimensión de sonambulismo, capaz de convertirlos en seres de ímpetu pasional. Y cuidado con esa clase de muertos: es muy difícil volverlos a matar. Se requiere de un fuego instantáneo que no siempre se tiene a mano. Sí: sólo cremándolos de inmediato pueden destruirse. Pocos tienen la sangre fría suficiente como para matar a un muerto por segunda vez. Hay que ser un asesino irremediable para tal horror. Un asesino sin nombre.

Cuando Iván Alberto se arrima a la fuente del camposanto, agradece a Dios que nadie ande por allí. Recién han cerrado las puertas principales, y sólo quedan en sus alrededores los vestigios de un entierro multitudinario.

Lo osado de permanecer en aquel tétrico sitio puede acreditársele como un acto realmente temerario, si se parte de la base que, tanto sus dos hermanas mayores como la nana que lo había cuidado de niño, se libraron siempre de sus necedades infantiles atemorizándolo con historietas de espantos y aparecidos, en especial la del furibundo viejo que se llevaba en un costal percudido a los que fastidiaban a sus mayores y no se tomaban rápido el vaso de leche.

- ¡Son unos idiotas! Ese que mataron no era el que les encargué.

- Pero se llamaba igual, licenciado. ¿Qué culpa tenemos nosotros de que haya dos líderes universitarios llamados Guillermo Aguilar?

- No acepto más excusas, Adelso. ¡Les doy cuarenta y ocho horas para que lo encuentren! ¿Me oíste bien? Lo quiero liquidado a más tardar el sábado.

- Ssssí, licenccccciado. Ahora mimimismo. Ya vamos.

- No se les ocurra fallar. Y Dios te libre a vos, si me venís con estupideces. ¿Me entendiste?

- Ssssí, licenciado. Lo entiendodododo muy bien.

- No se te olvide, además, que lo de la explosión en el parque es para el jueves.

- De ninguna manera.

(Adelso sale ofuscado de la oficina. Suena un intercomunicador. «Es su hija, licenciado». «Comuníquemela».)

- Hola, papi. ¿Cómo te va?

- Bien hijita, ¿Y a ti?

- Más o menos, papa. ¿Ya me conseguiste mis insectos?

- Aquí los tengo, mi amor. Te van a encantar.

- ¿Cuándo vas a llevarme a conocer allí donde trabajas?

- Un día de estos, mi cielo. Dile a tu mami que voy a llegar temprano hoy.

- ¿Me traes un postre?

- ¿Qué se te antoja?

- Un pastel de ciruela del Pecos.

- Yo te lo llevo.

- Adiós papi.

- Adiós hijita. Te mando un besito en tu nariz.

(Cuelga. Por el intercomunicador ordena a su secretaria que no le pase más llamadas. Abre un sobre y saca unas fotografías. Varios cuerpos mutilados desfilan por sus ojos. Vuelve a oprimir el botón del intercomunicador.)

- Mándeme a comprar un pastel de ciruela al Pecos Bill.

- Enseguida, licenciado.

La baraja lo saca y lo saca, pero nadie parece entenderlo. ¿Quién dijo que los muertos no son vengativos? ¿Acaso alguien ha experimentado su cambio de dimensión como para atestiguarlo con certeza? Es bueno dejarlo claro: miles de muertos están a la espera de volver para perpetrar su ajuste de cuentas. Lo dice la baraja, y las cartas nunca mienten. Los muertos quieren volver.

A Iván Alberto le lleva cinco minutos meter todas las monedas en la bolsa. No logra contar cuánto reúne, pero a simple vista (y por lo que pesan) parece suficiente como para alcanzar la suma. Lo único que le preocupa es huir lo antes posible de aquel grisáceo barrio de tumbas. No soporta un segundo más lo sepulcral de aquel hábitat. Saltarse la reja y llegar hasta donde puede abordar el autobús es cuestión de dos minutos. La mitad de la operación ha sido completada: la fuente del cementerio donde por tradición todos los deudos lanzan una moneda para que algún sueño de sus muertos se cumpla -aunque ellos ya no puedan verlo- queda prácticamente vacía.

Iván Alberto ha sorteado la puerta. A escasos metros de donde cae, ve la esquina como si estuviera a kilómetros de distancia. La bolsa ha excedido su peso más de lo que él puede calcular, aun sumándole su adrenalinizada euforia. Pero los planes parecen ir sobre ruedas: ha subido al autobús. En éste van solamente cinco personas. Iván Alberto hace cuentas. Ahora sí podrá comprarle el muñeco de peluche a su novia. Está feliz: ya no va a quedarse atrás frente a sus amigos.

- ¿Cómo van con Aguilar?

- Mañana estará listo, licenciado.

- Se las ha puesto dura, ¿verdad?

- Nunca camina por el mismo lugar. Lleva dos días quedándose a dormir en diferentes casas.

- Ese se les va a escapar.

- No creo. Hemos sido cuidadosos.

- Entonces continúen. Y no fallen: ese me importa más que el anterior.

- Su muerte va a quedar muy bien un día antes del bombazo.

- Es cierto. La bomba parecerá una venganza de ellos. Me gusta la idea. ¿Soy un genio o no?

- Usted siempre piensa bien, licenciado.

- Eso de las venganzas es algo humano. Gracias a Dios, los muertos no son vengativos.

- ¿Será, licenciado?

- Pues ojalá que no. Pero no me complico la vida con eso.

(Tocan a la puerta. Adelso se despide y sale. Entra la secretaria.)

- Su hija acaba de llamar.

- Mande a comprar un pastel de chocolate a la Palace.

- ¿No prefiere uno de ciruela del Pecos Bill?

- Dios me libre. La pobrecita se empachó con el que le llevé ayer.

- ¿Se le ofrece algo más?

- Por supuesto. (BARATAMENTE SEDUCTOR.) Póngale llave a la puerta, mi reina. (SE LE ACERCA Y LA ACARICIA.)

- (EN EL MISMO JUEGO.) Lo que usted diga, mi jefe. (SE APAGA LA LUZ. GEMIDOS FORZADOS. VULGARIDADES. ERECCIÓN TRABAJOSA. MAL SEXO. MÁS VULGARIDADES. MÚSICA TROPICAL AL FONDO. LICENCIADO Y SECRETARIA BAILAN EN LA OSCURIDAD.)

Algo sucede esta noche en el cementerio. Se oye un rumor creciente entre las tumbas. Un conciliábulo de ánimas atraviesa las piedras de cada mausoleo en un carnaval sin disfraces. Los cuatro costados del camposanto se cubren con el tenue resplandor de un gigantesco manto fúnebre.

Minutos antes de que Iván Alberto llegue a su casa, se oye un prolongado tiroteo desde la Policía Judicial, cuerpo represivo del Estado que se ocupa de desaparecer gente, de asesinar civiles y de intimidar a la oposición, por mínima que sea. Al parecer, el ataque se ejecuta con un camión fantasma utilizado como Caballo de Troya. No hay muchos muertos, pero todo el vecindario se aterra por el tableteo de ametralladoras y el espeluznante coro de sirenas que ronda con tétrico desasosiego. La lucha armada ha durado casi veinte años. Los habitantes de esa pesadilla no pueden borrarse la marca de miedo que la diaria tensión les ha estampado entre las sienes. La muerte puede sorprender a cualquiera a la salida de su casa. El silencio es el recurso obligatorio. Nadie que pone a funcionar su voz logra sobrevivir. Nadie. Léase bien: nadie.

- ¡Se los dije! Ese maldito se dio cuenta de que lo seguían. ¡Son unas bestias!

- No-no-no sé qqqué pasó. Cuando pensamos que lo teníamos, el mu-mu-mu-muy desgraciado se nos fue de las ma-ma-manos, a saber por dónde.

- ¿Por qué tartamudeás tanto? Parecés gallina.

- No-no-no sé, licenciado.

- ¡Mejor callate ya! Es una vergüenza que se les haya escapado.

- No vo-vo-volverá a pasar.

121

- A vos seguramente no, animal. Y de eso me encargo yo. (A LOS OTROS QUE ESTAN ALLÍ.) ¡Llévense a éste y cuélguenlo de los güevos hasta que se muera! No aguanto a los ineptos. (SE LO LLEVAN. ADELSO PATALEA Y GRITA. SABE A LO QUE VA: EL MISMO SE LO HIZO A OTRO PARA ALCANZAR EL PUESTO RECIÉN PERDIDO.) ¡Cuélguenlo de los güevos hasta que se muera! ¡De los meros güevos ! ¡Que sufra! ¡No aguanto a los ineficientes!

Alguien ha recogido el espíritu enterrado de los muertos y lo ha puesto a circular muy cerca de la vida. Por fin se ha hecho posible lo que durante tantos años estuvieron esperando. Ahora sólo falta la otra parte de la fórmula para retornar por completo: hallar la segunda mitad de su ser, guardada en un sitio ignorado por todos. El muchacho que se llevó las monedas es el obligado a buscarla. Los muertos, resucitados a medias, van a imponérselo. Ellos son el destino: el punto cardinal de cuanta brújula se para sobre la tierra.

Iván Alberto entra en la casa. Su madre lo recibe con llanto e histeria, pues al oír la interminable balacera y comprobar que su niño no ha regresado ¿del colegio?, inmediatamente piensa lo peor. Al verlo, la mujer se siente feliz y encolerizada a la vez. Por ello, alterna besos sobreprotectores con sopapos catárticos, y ni siquiera se percata de que el muchacho lleva una pesada bolsa en las manos. Ahora está junto a él en la mesa, recordándole la historia de su padre, a quien ametrallaron en plena calle, cuando una tarde regresaba de trabajar. Eso fue hace casi diez años. Aún así, cada vez que se oye un tiro, la escena revive y el mundo se le desploma. El recuerdo hace que la vida le vuelva a pesar y que adquiera de nuevo su oprobioso olor a plomo.

- ¿Ya se despacharon al Adelso?

- Desde ayer.

- ¿Sufrió mucho?

- Lo del gasto, licenciado.

- ¿Dónde lo dejaron?

- En un barranco cerca del Periférico.

- Fíjense bien en lo que hacen, si no quieren terminar igual.

- Estamos a sus órdenes, jefe. Usted lo sabe.

- Con vos voy a hablar de ahora en adelante, ¿oíste? Tenemos mucho qué hacer en estos días. Zarceño es tu apellido, ¿no?

- Así es, licenciado.

- Vas a estar a cargo a partir de hoy.

- Lo que usted diga, licenciado.

- El próximo "trabajito" va a ser una periodista.

- ¿Mujer?

- Sí, es mujer. Pero a ratos siento que los tiene "mejor puestos" que muchos hombres. La conozco desde hace tiempo. Y es un bombón, la muy hija de su madre.
- ¿En serio?

(EL LICENCIADO SE ABSTRAE EN SUS RECUERDOS.)

- Retírense. Ya los llamaré. Es hora del noticiero y quiero ver si hubo más muertos que los de nuestra lista.

- Como usted mande, licenciado.

Flota la algarabía en el cementerio. Es una insurrección de ánimas en la que nadie busca poder. Todos persiguen solamente un faro, muy similar a la justicia, condición única en la que podrán, literalmente, morir tranquilos. Tienen fe en que el muchacho halle el componente necesario para entrar en acción. Esta misma noche van a comunicarse con él por la vía de los sueños. Es en lo onírico donde los muertos son amos y señores: una pesadilla es el estado más cercano en el que ellos llegan a tocar a sus víctimas; aquellos que, paradójicamente, antes fueron sus victimarios. Por ello, los asesinos sueñan feo con frecuencia, y muchos se vuelven insomnes para intentar huir del infierno. Su única salida son las prolongadas y torturantes vigilias en que luchan contra su conciencia, y en las que el pavor de cerrar los ojos los encierra en una jaula de sombras.

Iván Alberto duerme. Según él, con la tranquilidad de contar ya con el dinero para el muñeco. Es medianoche. Por su ventana empieza a colarse un gas de colores. Es una especie de sahumerio que, de ser visible para un mortal, podría trastornarle los sentidos hasta enloquecerlo. Los muertos han entrado en la habitación. Sus gemidos nasales suenan a eco de ritual macabro. Es un coro de fantasmas que recobra parte de una extraviada dimensión. Iván Alberto se inquieta y registra nítidamente el mensaje con un oído sonámbulo: lo han adiestrado, en una lengua subterránea que nadie más podría entender, para buscar ese sitio mágico donde se guarda la otra mitad del hechizo, con el que estos muertos podrían obtener el cierre definitivo de su monótono deambular por la nada.

Iván Alberto, que al despertar lo hará como un ser completamente renovado, tiene los datos adentro. Y ha comprendido bien: si encuentra el lugar, él habrá de comandar un ejército de espíritus reencarnados para desbancar del poder a quienes lo detentan con alarde de abuso y violencia. Desde hoy, este muchacho de dieciséis años es el peor enemigo de los asesinos que ordeñan al país hasta exprimirle su más íntima sangre. Mientras él esté vivo, los muertos no podrán acarrear basura ajena ni votar en elecciones fraudulentas. A lo sumo, los forzarán a cobrar sueldos ilegales, pero ese dinero va a perderse por una inercia ineludible que impondrá su yugo sobre quienes intenten gastarlo. La mañana ha despuntado: Iván Alberto abre los ojos y lo primero que siente es un profundo miedo de morir.

- ¿Me mandó a llamar, licenciado?

- Sí. Necesito que me hagás unas averiguaciones.

- ¿Nos ocupamos ya de la periodista?

- No, por ahora no. Quiero un servicio diferente.

- Usted dirá.

- He oído hablar de una bruja famosa que lee las cartas en una casucha de Boca del Monte. La necesito aquí. Pero no quiero que se entere nadie. Háganlo con discreción.

- ¿No es la misma a la que llamaba aquel que torturamos hace como tres semanas?

- Por lo visto estás al tanto de lo que me preocupa.

- A ese yo mismo le metí la cabeza entre la cubeta. Nunca podré olvidar esos gritos. Su voz era muy rara.

- ¿Qué era exactamente lo que vociferaba ese maricón?

- Que la bruja de Boca del Monte sabía del ejército de muertos que vendría a vengarse de los asesinos.

- ¿Por qué te impresionó tanto?

- Porque sus palabras parecían verdad. Le confieso, licenciado: desde entonces me cuesta dormir. Tengo muchas pesadillas.

Ya te vas a acostumbrar. Yo también me asustaba al principio.

- ¿Qué hago con esa bruja?

- La quiero en esta oficina; necesito hablar con ella. Dicen que hasta culta es la muy cabrona. Últimamente me ha tenido intranquilo algo que sólo ella puede aclararme.

- Yo mismo se la traeré mañana. Como que me llamo Pablo Zarceño.

A los de aquí y a los de allá. A los de arriba y a los de abajo. A los que matan en nombre de Cristo y a los que matan en nombre del Pueblo. A los que fusilan a la historia, a los que asesinan la tradición. A quienes defienden esos mezquinos intereses y a quienes defienden aquellos. A todos, los maldigo. A todos, los condeno. A todos los mando al mismo lugar: ¡A la muerte! ¡A la muerte!

- ¿Cómo que no la encontraron?

- Así es, licenciado. Según dicen, anoche se puso una gran borrachera y salió de su covacha gritando cosas extrañas, hasta que se perdió entre los matorrales.

- ¿Cosas extrañas?

- Los vecinos dicen que maldecía a toda la gente y anunciaba el regreso de los muertos.

- ¿Muertos? Estupideces de ebria. Olvídense de ella y ocúpense de la periodista. Quiero hacerla callar, porque ya vienen las elecciones y no nos conviene que siga escribiendo esa su columna de porquería. Necesito silenciarla para siempre.

- Como usted diga, licenciado. Así se hará. Además, permítame contarle que el enemigo también anda tras ella.

- ¿Cómo sabés?

- Tenemos gente infiltrada entre los subversivos.

- De seguro quieren que nos echen la culpa y hacer escándalo internacional. Yo, hasta la previne para que se fuera a Nicaragua.

- ¿Qué hacemos entonces?

- Sigan adelante. Quien quita y se juntan con los guerrilleros en el operativo. Sería divertido. (SUENA EL TELÉFONO. ES EL PRESIDENTE. EL LICENCIADO SACA A SUS AGENTES DE LA OFICINA. LA PLÁTICA ES CONFIDENCIAL.)

Iván Alberto ha cambiado considerablemente. Los hilos que manejaban su vida están rotos. Ya no es la marioneta educada de antes. Su madre ha intentado todo para revertir el rumbo de su personalidad, pero no lo ha logrado. El muchacho sigue leyendo a los autores alemanes más densos, pero ahora los combina con novelas de latinoamericanas. No se masturba más: sus temporadas oscilan entre un ascetismo de monje y un exagerado apetito sexual que sacia de manera febril con compañeras ocasionales. Tampoco sueña con ser millonario. Ahora desprecia tal condición. Lo han acusado ya de tener "ideas raras", como en otro tiempo hicieron con su padre. Y a él le gusta: prefiere una reputación de tránsfuga del sistema que una de alineado. Pero ya su nombre va en camino de la lista que podría dictaminar su muerte. Es inevitable: perseguir el sortilegio de los difuntos ha trastornado su existencia. Y pese a que su vocación pacifista no le permitirá jamás tomar un arma, la próxima semana se entrevistará con un líder que vive en la clandestinidad. Ha pasado un año desde el robo de las monedas en el cementerio. Su pelo está más largo. El acné ha desaparecido de su rostro. La búsqueda lo ha conducido (de la mano con la lógica) a los sitios donde podría cumplir su misión: funerarias, anfiteatros, morgues, ventas de coronas mortuorias, fábricas de mortajas y hasta a la oficina donde se emiten los certificados de defunción. Él sabe que al descubrirlo se liberará del conjuro y empezará una lucha más seria. No está convencido de acudir a la cita con el contacto rebelde, pero lo hará: se siente perseguido y su escasa madurez no le permite discernir si puede o no continuar su tarea en completa soledad. Además, un golpe de Estado ha cambiado el panorama político del país y, al parecer, algunos cuadros de lo que él considera un ignominioso régimen van a variar en los próximos días. Le tiembla un párpado sin que pueda controlarlo. Ahora está seguro: a dos puyas no hay toro valiente. Por un lado, los muertos; por el otro, los asesinos.

Muertos/Asesinos/Muertos/Asesinos. El péndulo no cesa de agobiarlo. Muertos/Asesinos/Muertos/Asesinos. El párpado le vuelve a saltar.

- Las cosas han cambiado, muchachos. El licenciado ya no se ocupará de estos asuntos. De ahora en adelante seré yo quien dé las órdenes. Llámenme simplemente "jefe". Y téngalo muy en cuenta: soy tan severo, o más, que el propio licenciado. ¿Les quedó claro?

- Sí jefe. Muy claro.

INTERMEDIO NOTICIOSO

(Por un periodismo digno. Pero digno representante de la censura.)

Titulares: «Fuerzas Armadas niegan masacres en aldeas del interior»
«No hay desaparecidos políticos, según alto mando militar»
«Población complacida con tribunales de fuero especial»
«Jefe de Estado desmiente rumores sobre conspiración en su contra»

Teletipos: (De las agencias AP, DPA y AFP, sólo publicables afuera.)
«Estrategia de Tierra Arrasada siembra terror en la provincia»
«Encuentran cementerios clandestinos; Ejército y Guerrilla se inculpan mutuamente»
«Semana Santa se inicia con tres fusilamientos»
«Nuevo golpe de Estado depone a gobernante de facto»

Titulares y teletipos: (En honor a una periodista que solía decir lo que otros callaban. Al fondo se oye la melodía *As time goes by*.)

PRIMERAS PLANAS: «LA DEMOCRACIA VUELVE AL PAÍS»

«SE VISLUMBRA FIN DE CONFLICTO ARMADO»
«INSOLITO: GUARDIA DE CEMENTERIO ASEGURA OÍR
RUIDOS EN TUMBAS»

Hacía tanto tiempo que no caía en estas alucinaciones. ¿Por qué han vuelto? ¿Por qué a mí? Sobre los ojos me saltan otra vez muertos y muertos que antes vociferaban por mi boca palabras de bruja. ¿Es el castigo por haberle mentido a tantas mujeres diciéndoles que el hombre de sus sueños estaba cerca? ¡Yo sólo quería ganarme la vida! Y era mejor engañar que robar. Los muertos han regresado. Los muertos han vuelto. ¡Vade retro! ¡Vade retro!

Un decenio ha pasado desde el robo de las monedas en el cementerio. Iván Alberto es todo un hombre ya. Su conversación con el jefe subversivo lo enroló en la resistencia urbana de una organización guerrillera, más que todo como intelectual orgánico. Hasta se olvidó de su compromiso onírico con los muertos. Dejó de buscar la clave del hechizo por el que su vida sufrió un giro de ciento ochenta grados. Se volvió terrenal en extremo. Los ideales que tenía de adolescente han ido adquiriendo un rostro nuevo. Sigue siendo sencillo, pero los tiempos se pintan cada vez más superficiales, y eso le molesta. El país, siendo el mismo, es otro. El mundo también. Hoy, sin embargo, ha empezado a sentir una sensación de acoso muy similar a la experimentada durante los días previos a su primera vinculación con los rebeldes de los que ahora forma parte. Un algo inexplicable le dice que lo siguen. Otro algo, aún más difícil de descifrar, le indica que su vida peligra, pese a lo dicho por los compañeros, cuya visión del enfrentamiento armado es, con todo, más optimista que nunca.
En este momento toma una calle ajena a la buscada por la brújula de sus pasos. Continúa en esa dirección como atraído por un imán invisible y se topa con un callejón donde la oscuridad de la tarde hace casi irreconocibles a quienes

transitan por allí. No obstante, sus ojos son alertados por fuerzas incomprensibles y lo obligan a clavar la vista en un lujoso automóvil abordado en ese preciso instante por uno de los máximos jefes del grupo clandestino al cual pertenece. Se trata de un carro con placas confidenciales. Adentro, los gritos de una mujer -abortados a medias por una contundente mordaza de golpes- le trepanan el oído. Repelidos por los gorilas del auto fantasmal, algunos alaridos se escapan. Iván Alberto los oye y eso le basta para entender. Ahora sabe que corre un grave peligro.

¡Los muertos van a volver! ¡Los muertos van a vengarnos! ¡Que revivan los muertos! ¡Que revivan los muertos!

- Seamos honestos, Comandante. Nos conviene firmar la paz.

- Es cierto, General. Pero también nos conviene evitar lo que está profetizando esa bruja que tiene presa en el calabozo incomunicado. Eso de luchar contra muertos en armas no me agrada.

- Ni se preocupe. Al tal Iván Alberto lo vamos a liquidar mañana.

- Eso no es difícil. Nosotros mismos podríamos hacerlo. Lo preocupante es que él tenga una red de gente trabajando en esa búsqueda.

- No hay que creerlo todo ni tampoco confiarse, Comandante. Pero en este juego es preciso ser precavidos y defender hasta el final lo que nos pertenece.

- Quién iba a decirlo, General: usted y yo conversando amigablemente alrededor de una mesa y con un objetivo común.

- Deje eso: yo, creyente y evangélico, persiguiendo a un ejército de fantasmas.

- ¿Y dónde me deja a mí? Ateo y en las mismas.

- En la vida, cuando se ha llegado a un lugar como el nuestro, hay que matar a los muertos, si es preciso, para no ceder espacios. No hay vuelta de hoja, Comandante: o se mata, o se muere.

- Y yo prefiero matar.

- (RISITA NERVIOSA Y CÓMPLICE.) Yo también. (MÁS RISITA.)

Iván Alberto está escondido hace dos semanas. Ha saltado de casa en casa, de las pocas que han querido albergarlo, para eludir a sus perseguidores. Más de una vez se ha cruzado con antiguos compañeros o con gente que podría delatar su paradero; por suerte, ha logrado escabullirse sin que lo vean. Quienes peor se han portado con él son sus familiares: sólo una prima, a la que consideraba agria y egoísta, le abrió las puertas sin mucha palabrería. Los amigos de infancia han flaqueado rápidamente. Contra todos los pronósticos, las antiguas novias le han respondido mejor. Hoy, sin embargo, ya no tiene adonde ir y se siente rodeado. Deambula por la plaza central, tratando de confundirse entre la muchedumbre; a través de sus lentes oscuros percibe que en los alrededores rondan agentes del gobierno que de seguro lo buscan. Ahora mismo, al salir de Catedral, ve a uno de los jefes de la resistencia urbana a la que hasta hace poco estaba vinculado. Eso lo hace entrar en pánico y también temblar. Respira hondo. Se frota las manos empapadas en sudor y súbitamente se le ocurre una idea: La Hemeroteca Nacional. Es el lugar más cercano donde alguien conocido -un viejo amigo de su padre que dirige esa oficina-podría ayudarlo. Y como sabe que no tiene otra opción, se levanta con agilidad y camina a paso firme hacia el lado oeste de la plaza. Por su apuro no ve a un vendedor y se tropieza con él. Nervioso, lo ayuda a recoger su variopinta mercadería: en los ojos de aquel hombre ve una profundidad como de pozo sin fondo, que le infunde un miedo mayor. Lo deja y enfila a toda prisa, aunque sin correr, hacia su objetivo. El tráfico está denso y cruzar la calle se vuelve un trámite engorroso. Iván Alberto siente que en cualquier momento unas manos van a tomarlo del brazo y le dirán con voz amenazante un «te encontramos, maldito», y a empujones se lo llevarán a un carro de vidrios polarizados, estacionado a pocos metros de allí, donde lo vapulearán antes de llevarlo a la mazmorra en que lo rematarán con una sádica golpiza. Ha cruzado la calle. La Hemeroteca está a sólo trescientos metros. Ahora a doscientos. Faltan apenas unos pasos cuando oye que lo llaman tres veces consecutivas. Iván Alberto no quiere detenerse, pero su nombre le vuelve a arañar los tímpanos. Y así, el péndulo vuelve a estrangularle la serenidad: Asesinos/Compañeros/Asesinos/Compañe.../Asesinos/Asesinos/Asesinos/Asesinos.

¡Muertos! ¡Muertos! ¡Ya siento su olor! ¡Prepárense muertos!
¡Su día está cerca! ¡Muertos! ¡Muertos!

- No ha sido fácil perseguir a ese tal Iván Alberto, Comandante. ¿Está seguro de que no lo puso sobre aviso?

- Por favor, General. En esto, al menos, estoy claro de que no somos enemigos.

- La bruja esa sigue vociferando por las noches. Sobre todo ahora que está embarazada.

- ¿Embarazada?

- Sí. Como comprenderá, los muchachos necesitan distraerse y yo les doy permiso para que se la turnen. Aunque está algo fea, todavía "se le saca el diablo".

- ¿Ya la hizo confesar sobre qué hacer si Iván Alberto encuentra el sitio dónde están guardados los muertos?

- Hay que quemarlos instantáneamente. Con la electricidad lo confesó. Le tuvo más miedo al dolor que a los fantasmas.

- ¿Quemarlos?

- Sí, quemarlos. Estén donde estén.

- Yo no aguanto más las pesadillas. Me visitan a diario.

- A mí, por lo consiguiente. Pero yo me mantengo despierto: es parte del trabajo, usted sabe.

- Otra cosa en que coincidimos, General.

- La gente como nosotros no debe dormir, Comandante. Nunca. Los sueños son para los muertos.

Iván Alberto se da la vuelta. El hombre que lo llama, flaco y de riguroso traje, es el director de la Hemeroteca. Siente un alivio verlo acercarse. Cuando suben las gradas, el muchacho va tronando dientes. Al llegar al salón de lectura, casi se suelta a llorar. El viejo, sin terminar de entender lo que le pasa, le sirve un café. La oficina está por cerrar y él tendrá que marcharse pronto. Nadie, por órdenes superiores, puede quedarse después de cierta hora. Iván Alberto, ya sin nada que perder, le cuenta su historia. El hombre, quien en otros tiempos escondió a su padre en circunstancias similares, lo toma de las manos y habla: «Sólo esta noche». Iván Alberto asiente y casi abre un agujero en el suelo al botar la tensión que traía sobre las espaldas. Ambos oyen un ruido, pero el hombre lo calma diciéndole que hay un gato en la habitación contigua, al cual no han podido sacar desde hace cinco días. Luego se va, no pensando que Iván Alberto es un héroe o un elegido, sino que seguramente está loco de tanta droga. La historia de los difuntos no lo convenció.

¡Muertos! ¡Muertos! ¡Les ha llegado la hora, muertos!
¡Vengan por mí! ¡Vengan por mí!

(LOS GUARDIAS LE HAN ABIERTO LAS PIERNAS. FALTA AÚN EL ÚLTIMO DEL TURNO. AFUERA SE PERCIBE UNA LLUVIA TORRENCIAL. ES DE NOCHE)

- ¿Cómo dijiste? ¿Que un hombre llegó ayer a la Hemeroteca y le contó al director que estaba huyendo de nosotros? No me estás mintiendo, ¿verdad?

- (SE CUADRA.) Ni de chiste, mi General. Desde que trabajo para la institución, se me quitó la maña de estar contando mentiras. Lo raro es que dijo que también estaba huyendo de los subversivos.

- De eso ni te preocupés. ¿Te descubrieron oyéndolos?

- Creyeron que era un gato, mi General. El viejito director ya no sabe ni lo que oye.

- Debiste de haber venido desde anoche. Pero todavía es tiempo. Ahora mismo vamos a rodear la Hemeroteca. De allí ese maldito no sale vivo.

Son las siete de la mañana. Iván Alberto, quien se quedó dormido en el sillón de la oficina del amigo de su padre, sabe que salir a esa hora es arriesgado e imprudente. Sin embargo, una desesperación se apodera de él y lo conduce, como en estado de levitación, hacia el lugar donde están coleccionados todos los diarios. Aquello le causa curiosidad y busca el de la fecha en que asesinaron a su papá: 3 de abril de 1966. Saca el empastado y al ubicar la página donde está la noticia, sucede algo increíble: del periódico salta un hombre a quien reconoce en el acto, no sin cierta dosis de miedo. Es su padre. Y al recorrer todos los ejemplares compilados en ese empolvado volumen, más y más muertos surgen frente a sus ojos. Entonces se da cuenta del hallazgo: la fórmula está completa. En cuestión de segundos, la sala de lectura de La Hemeroteca se atiborra de ánimas reencarnadas. En las páginas en que debió informarse sobre masacres, pero la noticia se omitió por censuras obvias, el número se incrementa como una multiplicación divina. Iván Alberto se siente seguro por primera vez en varios días, y ni siquiera repara en lo asombroso de lo que sucede. Su mismo padre se le ha perdido entre la silenciosa multitud. Lo único que medita, al analizar el cuadro, es que el muy buscado ejército de muertos no resucita con armas en la mano: en vez de eso, todos llevan una flor blanca coloreada con sangre. Aquello lo perturba, pero de inmediato entiende: lo muertos no vienen a matar, sino a morir de una vez por todas para que sus deudos puedan continuar el camino. No piden venganza, sino justicia. Muchos de ellos lo que pretenden para sus familias es el derecho al duelo. Otros sólo limpiar su memoria. Pero todos, sin excepción, de un bando o de otro, lo que exigen es detener la carnicería.

- Está allí dentro, Comandante. Y los ha encontrado.

- ¿Cómo lo sabe?

- Hay niebla en las ventanas. Y eso también lo mencionó la bruja entre de sus predicciones.

- ¿Qué va hacer para sacarlo?

- Ni piense que voy a perder el tiempo en eso. (A SUS SUBORDINADOS) ¡Quemen el edificio! ¡Vamos! ¡Quémenlo!

- Pero, General. Es la Hemeroteca lo que va a destruir. Allí está guardada parte de la historia.

- A mí me importa un pito la historia, Comandante. Estas son cuestiones de guerra. Como todos los que amenazan con quitarnos lo nuestro, los muertos deben morir. Y si es necesario: los mato tres, cuatro o cinco veces. Lo que haga falta. ¡Quemen el edificio! ¡Quémenlo!

- La comunidad internacional va a ver muy raro el incendio. Piénselo bien. Ustedes pierden más que nosotros en esto.

- Ya nos intercambiaremos la culpa, Comandante. Por ahora, a cumplir con el deber: los muertos deben morir cuanto antes. Ni más ni menos. Los muertos deben morir.

- Me gusta esa frase, General: Los muertos deben morir.

- Buena, ¿verdad?

- Los muertos deben morir. Los muertos deben morir. Tiene futuro en las letras. General. Como Esquilo: militar y literato.

- ¿Esqui...qué, dijo?

- No me haga caso. Mejor mate a los muertos.

- Será un placer, Comandante. A su salud...

¡No se mueran muertos! ¡Vengan por nosotros! ¡No se mueran! ¡No se mueran! ¡No se mueran! ¡Líbrense de ese fuego asesino! ¡Regresen, muertos! ¡No se mueran! ¡No se mue

EPILOGO NOTICIOSO DE ÚLTIMA HORA
(Avances para la presente emisión)

«Hemeroteca arde a causa de corto circuito; estudiante muere carbonizado» «Hallan cadáver torturado de mujer embarazada: datos preliminares indican que es *La Bruja de Boca del Monte*» «Ejército y Guerrilla acuerdan cese al fuego» «Insólito: cementerio amanece lleno de cenizas» «El Presidente lo confirma: el año entrante se firmará la paz»

Se acabará esa guerra perdida de antemano, y hasta los vencedores cargarán con el oprobio de la derrota. Abundarán los expedientes de pesadilla y rencor. Los muertos seguirán muertos sin morir. El país se hundirá en otra variante del exterminio. Cundirá Babel en su versión más ensangrentada. Los vivos seguirán vivos sin vivir.

A mi padre